GUY MARTIN *atelier* (repeated)

SOMMAIRE

INTRODUCTION

En dérobant à Zeus pour le donner aux hommes le feu qu'il leur refusait, Prométhée a permis aux mortels d'accéder à la cuisson des aliments.

Cet épisode de la mythologie grecque nous conte donc le tout début de la cuisine. Au prix de patients efforts, d'expériences et d'éliminations successives, l'homme va apprendre à rôtir, fumer, bouillir, pour assurer sa survie et conserver ses provisions. Entre l'acquisition du feu (400 000 ans av. J.-C.) et la maîtrise de techniques de cuisson élaborées, il se passera quelques centaines de milliers d'années. Les premières cuissons se feront sur des pierres chauffées sur le feu ; puis apparaîtra le rôtissage, à l'aide de brochettes en bois ou en os. Viendra ensuite la cuisson à l'étouffée, soit sous la braise, soit dans des trous tapissés de feuilles dans lesquels sont placées des pierres brûlantes, soit à l'aide de panses ou de vessies animales. Enfin, ce sera le tour du bouilli : dans un premier temps — et pendant une longue période — il s'effectuera dans des outres en peau, dans lesquelles on plonge des galets brûlants ; plus tard, l'invention de la poterie permettra la cuisson dans un pot directement posé sur les flammes.

Si la cuisson permit tout d'abord une sécurité sanitaire — en éliminant les germes — et une sécurité alimentaire — en constituant des réserves —, l'homme, partout dans le monde, a inventé d'incroyables techniques pour diversifier son plaisir. D'une manière totalement empirique au départ, avec des améliorations de génération en génération, à coup d'essais au petit bonheur la chance ou de ratages fortuits, la cuisson est devenue non seulement un art mais une science.

Un art qui se distingue d'un pays à un autre, qui donne une signature identitaire, où le mode de cuisson constitue la recette comme le tandoori en Inde, le tajine dans les pays du Maghreb ou, plus proche de nous, le pot-au-feu. Et une science puisqu'on peut enfin expliquer aujourd'hui pourquoi un plat braisé concentre autant les saveurs, pourquoi un soufflé retombe et pourquoi la réussite de frites croustillantes tient à un séchage minutieux de la pomme de terre.

Alors, en attendant un avenir proche où, peut-être, vous cuirez votre soupe avec de l'azote liquide, voici un livre à lire avant de vous pencher au-dessus de vos casseroles : vous y découvrirez toutes les astuces et les impératifs pour comprendre et réussir dix types de cuisson. Mais également pour cuire sans nuire car l'enjeu aujourd'hui est aussi d'être respectueux de sa santé et de la planète. Et bien sûr des recettes pour que s'efface la technique au profit de l'essentiel : le bonheur d'un plat partagé !

Guy Martin

LES USTENSILES INCONTOURNABLES

Un fouet · Un chinois · Une passoire · Un très bon couteau · Un économe · Un zesteur · Un pinceau · Une cuillère en bois · Une planche à découper · Un mixer · Du film alimentaire · Du papier sulfurisé · Du papier aluminium · Une grille · Une écumoire · Une lèchefrite · De la ficelle de cuisine · Un rouleau à pâtisserie · Une râpe · Un doseur · Une casserole · Une poêle

Le plaisir de cuisiner et la réussite d'une recette tiennent beaucoup aux ustensiles.

Un bon couteau, un bon économe, et la découpe ou l'épluchage ne sont plus une corvée. Choisissez-les de qualité. Même s'ils sont plus chers, vous apprécierez la différence quotidiennement dans votre cuisine.

Une casserole, une poêle : investissez dans la qualité pour ne pas prendre le risque de rater une cuisson. Le fond doit être épais et parfaitement plat pour une répartition optimale de la chaleur et une cuisson homogène. Attention aux poignées non isolées sur lesquelles on se brûle !

Une planche : indispensable pour tout découper, elle servira aussi de plan de travail. Choisissez-en une assez légère que vous pourrez soulever facilement pour débarrasser ce que vous venez de découper directement dans la casserole ou le plat.

Un chinois : ce n'est pas un habitant de la Chine mais une passoire à mailles fines, de forme conique, qui permet de filtrer les soupes ou les sauces pour obtenir une texture lisse.

Les papiers de cuisson : film, sulfurisé ou aluminium, ils sont un peu plus que des accessoires. Chacun a son utilité ou sa spécificité en fonction de la cuisson choisie. Soyez vigilant malgré tout avec l'aluminium et évitez que l'aliment chaud ne soit en contact direct avec lui.

Un doseur : gradué en millilitres ou centilitres pour les liquides, mais aussi en grammes pour différents solides (riz, farine, sucre…) ce qui vous dispensera de l'achat d'une balance.

Une écumoire : une large cuillère plate, percée de trous et pourvue d'un long manche, pour éliminer les impuretés, l'écume d'une préparation ou pour prélever des aliments dans un bouillon ou une friture.

Une lèchefrite : un nom plutôt comique pour cet ustensile indispensable des cuissons au four. C'est un plat en métal peu profond, adapté aux dimensions du four, qui permet de rôtir en posant directement l'aliment dedans ou de récupérer les jus de cuisson lors d'un rôtissage à la broche. Il peut aussi servir de bain-marie.

LES PRODUITS INDISPENSABLES

Ces produits indispensables constituent une base à stocker dans ses placards et son réfrigérateur. Pour réaliser une recette, seuls les produits frais seront à acheter au dernier moment.

Privilégiez toujours la qualité des huiles « première pression à froid » de petits producteurs. Leur goût est incomparable et donnera vraiment de la personnalité à un plat. Attention toutefois à leur conservation, à l'abri de la lumière et de la chaleur, dans une bouteille teintée, pour préserver leurs nutriments et leur saveur. Veillez également à ne pas les conserver trop longtemps une fois entamées. N'achetez donc jamais une grande bouteille d'une huile que vous utiliserez rarement.

Préférez le sel de Guérande, non raffiné. Sa couleur naturelle, légèrement grise est due aux particules d'argile des bassins d'évaporation. Sans additif, il concentre des oligoéléments comme le magnésium et le calcium. Utilisez-le pour saler l'eau ou les bouillons de cuisson. La fleur de sel est également riche en nutriments et s'utilise parsemée en touche finale, au moment du service.

Pour donner encore plus de saveur à un plat, rien de tel qu'un fumet ou un fond. Si vous n'avez pas le temps de les préparer, utilisez des préparations déshydratées (cubes ou poudres), de préférence biologiques : elles sont en général moins riches en matières grasses et exhausteurs de goût.

Le vinaigre balsamique est victime de son succès depuis quelques années. On en produit à tour de bras. Et il se révèle bien loin du goût exceptionnel du traditionnel. Tout le monde ne peut s'offrir un flacon de ce prestigieux vinaigre. Regardez au moins la composition de celui que l'on vous propose. Attention au caramel et aux sulfites qu'il peut contenir.

Soyez un vrai épicier en faisant le plein d'épices. C'est le petit tour de magie pour n'importe quelle recette, mais c'est surtout votre touche créative : forcez plus ou moins la dose selon votre goût, tentez d'en parsemer ici ou là. Comme pour les huiles, veillez à leur bonne conservation, à l'abri de la lumière et de la chaleur, et ne les gardez pas trop longtemps.

1] Lait, lait de soja, crème fraîche, crème fleurette, œufs, beurre.

2] Huile d'olive, huile de pépins de raisin, huile de tournesol, huile de colza, vinaigre de vin, vinaigre de riz, vinaigre balsamique, sauce soja, Tabasco®.

3] Farine, sucre blanc, sucre roux, miel, gros sel, sel fin, fleur de sel, chapelure, poivre noir, poivre blanc, sauce tomate, concentré de tomates, tomates confites, cubes de bouillon, filets d'anchois.

4] Moutarde, câpres, cornichons, oignon, échalote, ail, citron, citron confit au sel, thym, laurier, gousse de vanille, épices (cannelle, muscade, cardamome, gingembre...)

LES EXPRESSIONS CULINAIRES

Le monde de la cuisine n'échappe pas à l'emploi de mots, tournures ou expressions spécifiques. Pas de panique ! Je vous explique.

▶▶ Brider une volaille
Fixer contre le corps les membres d'une volaille avec une ficelle, pour obtenir une cuisson homogène, sans dessèchement des membres, et pour favoriser une belle présentation.

▶▶ Chemiser une terrine
Tapisser le fond et les bords d'une terrine de papier sulfurisé ou de film alimentaire pour un démoulage optimal. Pour faciliter la tâche, humidifier la terrine.

▶▶ Ciseler
Hacher finement au couteau.

▶▶ Corner
Enlever l'excédent de pâte.

▶▶ Cul-de-poule
Bol en Inox à fond arrondi pour mélanger ou fouetter facilement les ingrédients d'une préparation.

▶▶ Détendre
Ajouter un peu de liquide à une sauce pour la rendre moins épaisse.

▶▶ Écumer
Retirer la mousse qui se forme à la surface lors de la cuisson de certaines préparations, comme des confitures ou un pot-au-feu, à l'aide d'une écumoire.

▶▶ Faire suer
Pas d'ennui derrière ce terme ! Il s'agit de faire évaporer l'eau de végétation d'un légume en le chauffant avec un corps gras et en évitant la coloration.

▶▶ Fond de veau ou de volaille
Bouillon élaboré à base d'os, de légumes et d'une garniture aromatique, pour cuire des aliments.

▶▶ Historier un citron
Couper un citron en deux en dents de loup, c'est-à-dire en l'incisant de biais avec la lame d'un couteau, de l'extérieur jusqu'au centre, dans un sens puis dans l'autre, pour lui donner une forme de fleur.

▶▶ Laisser pousser une pâte
Incorporer de la levure (champignon vivant microscopique) dans une pâte permet une fermentation qui dégage du gaz carbonique. Ce sont ces bulles de gaz carbonique cherchant à s'échapper qui provoquent la poussée. Elle doit être faite à température ambiante sous un linge. La pâte peut doubler de volume. Elle gagnera en légèreté à la cuisson.

▸▸ Monder

Éliminer la peau de certains fruits ou légumes, après les avoir plongés quelques secondes dans de l'eau bouillante et rafraîchis immédiatement ensuite. Les fruits oléagineux peuvent aussi être mondés après avoir été légèrement grillés, au four ou à la poêle.

▸▸ Monter au beurre

Ajouter au dernier moment du beurre froid en petits morceaux, petit à petit, tout en fouettant pour donner de l'onctuosité à une sauce.

▸▸ Passer au chinois

Transvaser une préparation au travers de l'ustensile appelé chinois pour obtenir une texture lisse et homogène.
Il existe deux sortes de chinois : celui en métal et le chinois étamine qui permet un filtrage plus fin.

▸▸ Poivre du moulin

Il ne s'agit pas du nom d'un poivre, mais de poivre moulu au dernier moment, nettement plus parfumé que celui conditionné déjà moulu.

▸▸ Rafraîchir

Plonger un aliment dans de l'eau froide ou glacée pour stopper sa cuisson.

▸▸ Rectifier l'assaisonnement

Il s'agit, après avoir goûté, de saler et poivrer de nouveau si le besoin s'en fait sentir.

▸▸ Réduire

Concentrer un liquide ou une sauce en faisant évaporer une partie de l'eau par ébullition.

▸▸ Réserver

Mettre en attente certains aliments au cours de la préparation, avant leur intégration dans le plat.

▸▸ Sucs

Mélange caramélisé de jus qui se trouve au fond du récipient de cuisson d'une viande. On récupère les sucs en versant un peu d'eau pour les décoller.

À LA VAPEUR

TERRINE D'ŒUFS AUX CÈPES ET AUX HERBES

20 MIN

CUISSON : 20 MIN

4 PERSONNES

8 œufs extra-frais

1 cuillerée à café de
cerfeuil haché

1 cuilleréeà café
de persil haché

100 g de cèpes bouchon

1 cuillerée à soupe
d'huile d'olive

Sel, poivre du moulin

• Coupez les parties terreuses des cèpes puis lavez-les sous un filet d'eau froide en les brossant légèrement. Séchez sur du papier absorbant. Coupez-les en deux puis émincez-les finement.

• Faites chauffer l'huile dans une poêle puis faites saisir les cèpes. Laissez cuire quelques minutes jusqu'à ce qu'ils soient colorés et légèrement desséchés. Salez, poivrez. Égouttez-les sur du papier absorbant.

• Cassez les œufs dans un bol et fouettez-les. Salez, poivrez. Ajoutez les cèpes puis le cerfeuil et le persil hachés.

• Chemisez la terrine de film alimentaire. Versez le mélange puis couvrez de film alimentaire. Placez la terrine dans le cuit-vapeur et faites cuire 20 minutes.

• Retirez la terrine du cuit-vapeur, laissez-la refroidir puis réservez-la au réfrigérateur.

• Démoulez la terrine sur un plat et coupez-la en tranches.

LE PETIT PLUS

Vous pouvez l'accompagner de toasts de pain de campagne à l'huile d'olive et de cèpes poêlés.

LE PETIT CONSEIL

Si vous ne trouvez pas de cèpes frais, pensez aux cèpes surgelés.

USTENSILES

un fouet

un cuit-vapeur

un couteau

une terrine de
14 x 9,5 x 6 cm

PAIN AUX GRAINES DE PAVOT

10 MIN

REPOS : 45 MIN
CUISSON : 45 MIN

4 PERSONNES

125 g de farine de riz

50 g de farine de sarrasin

50 g de fécule de maïs

1 cuillerée à soupe
de graines de pavot

1 cuillerée à soupe
d'huile d'olive

1 cuillerée à soupe
de jus de citron

1 cuillerée à café
de sucre

1 cuillerée à café de sel

1 sachet de levure sèche
de boulanger

• Versez tous les ingrédients dans un saladier. Mélangez bien à l'aide d'un fouet puis ajoutez 22,5 cl d'eau. Travaillez la pâte jusqu'à ce qu'elle soit homogène.

• Placez un disque de papier sulfurisé au fond d'un moule à manqué de 22 cm de diamètre. Huilez légèrement le moule puis versez-y la pâte. Laissez lever pendant 45 minutes dans un endroit tempéré (20 °C environ), recouvert d'un linge.

• Couvrez d'un film alimentaire puis placez le moule dans le cuit-vapeur pour 45 minutes de cuisson.

• Ôtez le film alimentaire. Démoulez puis laissez refroidir sur une grille.

LE PETIT PLUS

Pour transformer ce pain en gâteau sandwich, coupez-le en deux dans l'épaisseur avec un couteau-scie. Tartinez les deux moitiés d'un mélange de yaourt, wasabi et jus de citron. Recouvrez l'une des moitiés de rondelles de tomate, de pousses de soja et de feuilles de roquette puis placez la seconde moitié dessus. Coupez en parts comme un gâteau. Vous pouvez varier la garniture selon votre goût et la saison.

>>> USTENSILES

un cuit-vapeur

un doseur

un fouet

CAVIAR D'AUBERGINE AU PAMPLEMOUSSE ROSE

CUISSON : 20 MIN

4 PERSONNES

850 g d'aubergine
sans peau

60 g de jus de
pamplemousse rose

30 g de dés de chair de
pamplemousse rose

10 g d'ail

60 g de fromage blanc

1 grosse pincée
de paprika

Sel, poivre du moulin

- Coupez l'aubergine en morceaux.
- Épluchez l'ail et coupez-le en quatre.
- Placez les morceaux d'aubergine et l'ail dans le cuit-vapeur et faites cuire pendant 20 minutes.
- Mixez grossièrement. Ajoutez le fromage blanc, les dés et le jus de pamplemousse. Salez et poivrez.
- Saupoudrez de paprika juste au moment de servir.

LE PETIT PLUS

Ce caviar chaud accompagnera parfaitement une viande blanche ou un poisson poché.

Vous pouvez aussi le servir froid sur une tartine de pain de campagne grillé.

 USTENSILES

 un cuit-vapeur
 un mixer
 un couteau

AU BAIN-MARIE

L'ESSENTIEL POUR RÉUSSIR LA CUISSON AU BAIN-MARIE

▸▸ LES USTENSILES
Un bain-marie, un plat à four, des ramequins, une terrine.

• L'intérêt gustatif
C'est une cuisson indirecte. On verse la préparation dans un récipient lui-même placé dans un autre récipient plus grand, rempli d'eau chaude frémissante. Elle permet de cuire les aliments et les préparations fragiles, sans les saisir ni les faire bouillir, et d'obtenir une cuisson homogène et des textures moelleuses. Cette technique permet aussi de faire fondre et d'épaissir, de réchauffer ou de maintenir au chaud.

• L'intérêt nutritionnel
La cuisson se faisant à une température inférieure à 100 °C, les sels minéraux sont préservés ainsi que certaines vitamines. Il y a peu ou pas d'ajout de matière grasse.

▸▸ COMMENT S'Y PRENDRE ?

• Au four
L'eau du bain-marie doit être à la bonne température dès le début de la cuisson. Ne démarrez pas la cuisson avec de l'eau froide mais avec de l'eau frémissante pour des ramequins, de l'eau bouillante pour une terrine.
Préchauffez le four. Mettez l'eau à chauffer dans une casserole. Versez la préparation dans des ramequins ou une terrine. Placez dans le four un plat assez grand pour les contenir, ou éventuellement la lèchefrite pour des ramequins. Déposez dedans les ramequins ou la terrine avec son couvercle. Remplissez le plat d'eau chaude, jusqu'aux deux tiers de la hauteur de la terrine ou des ramequins. Fermez la porte jusqu'à cuisson complète. Dans les cas d'une cuisson en ramequins, veillez à ce que l'eau ne bout pas, mais qu'elle reste juste frémissante ; au besoin, baissez la température du four.

• À la casserole
La préparation doit être placée dans un récipient qu'elle ne remplira qu'à mi-hauteur, au maximum. Versez de l'eau dans une casserole ou un faitout, d'une taille adaptée au contenant de la préparation – l'eau doit arriver à mi-hauteur de ce contenant sans remplir la casserole ou le faitout –, et faites-la chauffer jusqu'à frémissement. Posez le récipient contenant la préparation. Remuez sans discontinuer avec une spatule pendant la durée de la cuisson.

▸▸ POUR QUELS PRODUITS ? POUR QUELS PLATS ?

Pour faire fondre du chocolat ou du fromage. Pour cuire les œufs brouillés ou en cocotte, les sabayons, les crèmes, les terrines, les sauces comme la béarnaise ou la hollandaise, les soufflés. Toutes les préparations délicates qui ne supportent pas le contact avec la flamme.

• À éviter

Tout ce qui exige une coloration ou une caramélisation des sucs de cuisson.

LE PETIT PLUS TECHNIQUE
Si vous utilisez la lèchefrite comme bain-marie, soyez attentif à l'évaporation. La quantité d'eau n'étant pas très importante, il faudra éventuellement rajouter de l'eau chaude en cours de cuisson.

LE PETIT PLUS PRATIQUE
Pour éviter que le bouillonnement ne fasse bouger les ramequins, déposez au fond du plat un torchon ou un morceau de papier sulfurisé. Il amortira les éventuelles secousses.

ŒUFS COCOTTE AUX PETITS POIS ET TRUFFES D'ÉTÉ

10 MIN

CUISSON : 10 MIN

4 PERSONNES

4 cuillerées à soupe
de petits pois crus

60 g de truffes d'été

8 œufs extra-frais
« plein air »

20 g de beurre mou

200 g de crème liquide

Sel, poivre du moulin

• Préchauffez le four à 150 °C (th. 5).

• Ébouillantez les petits pois dans de l'eau salée pendant 2 minutes. Rafraîchissez-les dans un bol d'eau glacée puis égouttez-les.

• Beurrez 8 ramequins en porcelaine à l'aide d'un pinceau. Salez et poivrez légèrement l'intérieur.

• Répartissez les petits pois au fond des ramequins.

• Cassez les œufs un par un dans une soucoupe pour vérifier leur qualité puis versez-les délicatement dans les ramequins, sans percer le jaune.

• Placez sur le fond de la lèchefrite une feuille de papier sulfurisé. Posez les ramequins en laissant un espace entre chacun. Placez la lèchefrite dans le four, à mi-hauteur, puis versez de l'eau bouillante jusqu'à mi-hauteur des ramequins.

• Faites cuire 6 à 7 minutes en surveillant. Le jaune doit rester crémeux et le blanc doit être cuit.

• Taillez 8 lamelles de truffe. Hachez le reste.

• Versez la crème dans une casserole et faites-la réduire d'un tiers pendant 5 minutes. Ajoutez la truffe hachée. Salez, poivrez.

• Sortez les œufs cocotte du four. Répartissez la crème à la truffe autour des jaunes et posez une lamelle de truffe dessus. Servez aussitôt.

LE PETIT CONSEIL

Vous pouvez réaliser cette recette avec de la truffe noire en saison.
Mais aussi avec des herbes, des épices selon votre inspiration et utiliser, à la place des petits pois, des dés de carotte, des fèves ou des cubes de poulet cuit.

>>>
USTENSILES

une casserole

un couteau

du papier sulfurisé

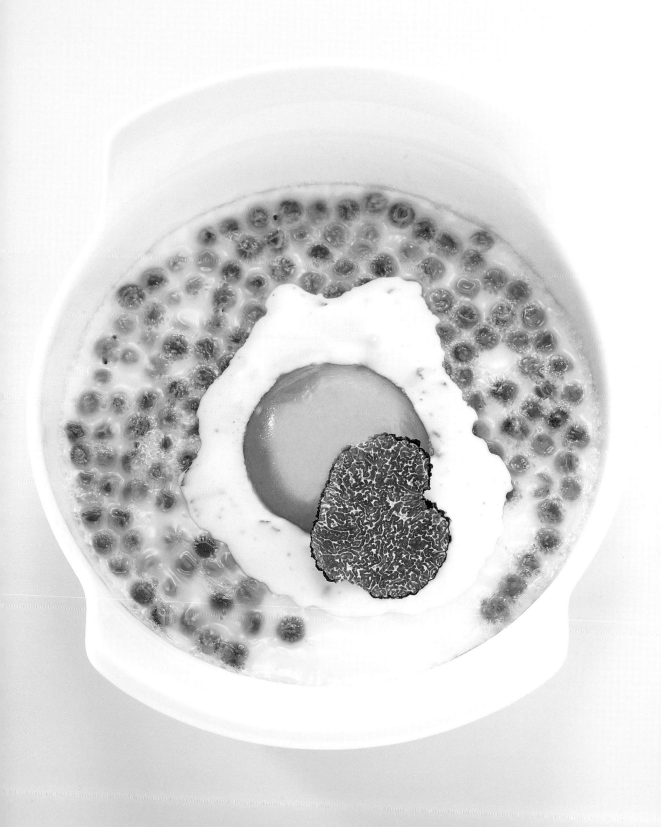

CRÈME CARAMEL, MENTHE, RÉGLISSE

20 MIN

INFUSION : 30 MIN
REPOS : 15 MIN
CUISSON : 2 H

4 PERSONNES

1 l de lait entier

20 feuilles de menthe

4 œufs et 3 jaunes

300 g de sucre

1 pointe de couteau
de réglisse en poudre

- Préchauffez le four à 150 °C (th. 5).

- Portez le lait à ébullition. Hors du feu, versez les feuilles de menthe. Couvrez et laissez infuser 30 minutes. Filtrez.

- Battez les œufs et les jaunes avec 150 g de sucre. Lorsque le mélange est homogène, versez le lait infusé tout en mélangeant avec un fouet.

- Passez la préparation au chinois étamine. Laissez reposer 15 minutes puis écumez les bulles à la surface.

- Versez le reste du sucre, 6 cl d'eau et la poudre de réglisse dans une casserole. Faites cuire jusqu'à l'obtention d'un caramel brun clair. Versez dans un moule à manqué. Le caramel doit napper tout le fond.

- Versez la préparation sur le caramel.

- Placez sur le fond de la lèchefrite une feuille de papier sulfurisé. Posez le moule puis enfournez. Versez de l'eau chaude jusqu'aux trois quarts du moule. Laissez cuire 2 heures.

- À la sortie du four, laissez la crème refroidir dans son moule sur une grille, puis placez-la au réfrigérateur. Démoulez en passant délicatement la pointe d'un couteau contre la paroi du moule. Posez une assiette sur le moule puis renversez. Soulevez doucement le moule. Servez en parts comme un gâteau.

LE PETIT PLUS

La version classique de cette crème renversée se fait avec l'infusion d'une gousse de vanille dans le lait et un caramel nature. Mais vous pouvez aussi utiliser de la badiane, de la cannelle ou de la fleur d'oranger.

LE PETIT CONSEIL

Il est préférable de cuire la crème 12 heures à l'avance. Vous pouvez aussi réaliser la recette en ramequins individuels et les cuire 45 minutes.

▶▶▶ USTENSILES

une casserole

un doseur

du papier sulfurisé

MOUSSELINE À L'EAU DE FLEUR D'ORANGER ET CAROTTE À LA VANILLE

15 MIN

CUISSON : 10 MIN

4 PERSONNES

1 orange non traitée

1 carotte

2 œufs

70 g de beurre

65 g de sucre

1 cuillerée à soupe d'eau
de fleur d'oranger

1/2 gousse de vanille

• Épluchez la carotte. Râpez-la à la grosse grille. Versez dans un bol avec 10 g de sucre et la gousse de vanille grattée. Mélangez bien. Réservez au frais.

• Prélevez la moitié du zeste de l'orange avec un couteau économe puis hachez-le finement.

• Pressez l'orange.

• Dans un bain-marie, ou à défaut dans un cul-de-poule au-dessus d'une casserole d'eau frémissante, mélangez les œufs, le reste de sucre, le jus et le zeste d'orange. Faites cuire jusqu'à épaississement en remuant constamment avec un fouet.

• Hors du feu, ajoutez l'eau de fleur d'oranger puis incorporez le beurre coupé en petits morceaux à l'aide d'un mixer. Le mélange doit être bien homogène.

• Versez la mousseline dans 4 verrines. Réservez-les au réfrigérateur.

• Au moment de servir, pressez la carotte dans une passoire pour éliminer son jus. Répartissez-la ensuite sur les mousselines.

LE PETIT PLUS

Vous pouvez remplacer l'orange par un citron.

USTENSILES

un mixer

un fouet

un doseur

GRILLER

PRESSÉ DE LÉGUMES GRILLÉS, ROQUETTE ET ANCHOIS

1 H

CUISSON : 45 MIN
RÉFRIGÉRATION : 24 H

6 PERSONNES

3 aubergines moyennes

3 courgettes

2 poivrons rouges

2 poivrons jaunes

100 g de roquette

4 filets d'anchois

40 cl d'huile d'olive

Sel, poivre du moulin

LE PETIT PLUS

Vous pouvez accompagner la terrine avec une belle salade d'herbes : persil plat, estragon, cerfeuil et coriandre, ou une salade de jeunes pousses et du pain de campagne toasté.

LE PETIT CONSEIL

Le poids permet de bien tasser la terrine et de faciliter ainsi son démoulage et sa coupe.

- Préchauffez le four à 200 °C (th. 6/7).

- Lavez et essuyez les aubergines et les courgettes. Coupez les extrémités. Taillez-les dans la longueur en bandes de 5 mm d'épaisseur environ, à l'aide d'une mandoline, ou à défaut avec un bon couteau.

- Coupez les poivrons en quatre dans la hauteur. Ôtez les graines et les membranes blanches. Épluchez-les avec un couteau économe.

- Placez les légumes dans un plat large. Arrosez-les de 30 cl d'huile d'olive. Salez, poivrez et mélangez bien.

- Faites chauffer le gril en fonte puis saisissez les bandes de légume (2 par 2 ou 3 par 3 en fonction de la taille de votre gril) de chaque côté pendant 2 minutes environ. Renouvellez l'opération jusqu'à épuisement des ingrédients.

- Placez-les ensuite dans un plat à four puis enfournez-les, pour terminer la cuisson, pendant 5 minutes.

- Épongez-les sur du papier absorbant.

- Lavez et essorez la roquette. Mixez-la avec le reste d'huile d'olive, salez et poivrez.

- Coupez en deux les filets d'anchois dans la longueur.

- Chemisez la terrine de film alimentaire en le laissant déborder sur les côtés.

- Tapissez le fond et les bords de la terrine, transversalement, de bandes d'aubergine grillée en les laissant dépasser de chaque côté.

- Disposez le reste des légumes, par couches, dans le sens de la longueur en intercalant la roquette à l'huile d'olive et les filets d'anchois entre chaque couche.

- Rabattez les bandes d'aubergine sur le dessus ainsi que le film alimentaire. Placez un poids d'environ 1 kg sur la terrine puis réservez-la 24 heures au réfrigérateur.

- Au moment de servir, démoulez la terrine. Ôtez le film alimentaire et coupez en tranches.

 USTENSILES

un gril en fonte   un couteau   une terrine de 24 x 9 x 6 cm   du film alimentaire

BROCHETTES DE GIGOT D'AGNEAU ET FRUITS SECS, COUSCOUS D'ORGE À LA MENTHE

45 MIN

**MARINADE : 2 H
CUISSON : 6 MIN POUR
LES BROCHETTES,
15 MIN POUR L'ORGE**

4 PERSONNES

600 g de gigot d'agneau sans os

8 abricots secs

4 dattes

Sel, poivre du moulin

Pour la marinade

4 brins de coriandre ciselés

Le jus de 1/2 citron

2 pincées de coriandre
en poudre

10 gouttes de Tabasco®

3 cuillerées à soupe
d'huile d'olive

1 pincée de cumin en poudre

Pour le couscous d'orge

200 g d'orge concassée

4 feuilles de menthe ciselées

4 cuillerées à soupe
d'huile d'olive

Pour la sauce

2 yaourts nature

50 g de feta émiettée

4 feuilles de menthe ciselées

4 brins de coriandre ciselés

3 gouttes de Tabasco®

Sel, poivre du moulin

- Coupez le gigot d'agneau en 20 cubes de 3 cm.
- Mélangez tous les ingrédients de la marinade dans un saladier. Versez les cubes de viande. Salez, poivrez et mélangez. Couvrez d'un film alimentaire et réservez au moins 2 heures au réfrigérateur.
- Coupez en deux et dénoyautez les dattes.
- Égouttez la viande. Montez 4 brochettes en intercalant sur chacune 5 morceaux de gigot, 2 demi-dattes et 2 abricots.
- Mélangez tous les ingrédients de la sauce. Couvrez d'un film alimentaire et réservez au réfrigérateur.
- Portez de l'eau à ébullition dans un cuit-vapeur.
- Versez l'orge dans un saladier. Ajoutez 2 cuillerées à soupe d'huile d'olive. Mélangez. Ajoutez 25 cl d'eau chaude et une pincée de sel fin et laissez gonfler sous un film alimentaire pendant 10 minutes.
- Mélangez puis étalez bien l'orge sur le tamis du cuit-vapeur. Laissez cuire 5 minutes. Remuez l'orge, arrosez-la avec le reste d'huile d'olive et égrainez-la avec les doigts ou avec une fourchette.
- Ajoutez la menthe. Réservez au chaud.
- Faites cuire les brochettes au barbecue, à la plancha ou sur un gril en fonte, 3 minutes de chaque côté.
- Préparez la sauce yaourt en mélangeant le yaourt avec la feta jusqu'à obtenir une texture homogène. Ajoutez le reste des ingrédients, couvrez d'un film alimentaire et réservez au réfrigérateur.
- Dressez sur les assiettes avec l'orge et la sauce au yaourt.

LE PETIT PLUS

Préférez les dattes Mejhoul de gros calibre très savoureuses.

LE PETIT CONSEIL

Pour une cuisson plus à point, laissez cuire 2 minutes supplémentaires.

USTENSILES

un cuit-vapeur

un couteau

un presse-agrume

un gril en fonte

du film alimentaire

un doseur

VENTRÊCHE DE THON ET GREEN ZEBRA, JUS DE TOMATE ACIDULÉ AU POIVRE DU SICHUAN ET MIEL D'EUCALYPTUS

20 MIN

**MARINADE : 30 MIN
CUISSON 20 MIN**

4 PERSONNES

700 g de ventrêche de thon rouge sans peau

4 tomates green zebra

Fleur de sel, poivre du moulin

Pour la marinade du thon

2 cl d'huile d'olive

2 cl de sauce soja

5 g de gingembre frais haché

Pour le jus de tomate acidulé

40 cl de jus de tomate

8 cl de vinaigre cristal

30 g de miel d'eucalyptus

10 grains de poivre du Sichuan

• Taillez dans la ventrêche 8 pavés de 10x2x2 cm.

• Mélangez tous les ingrédients de la marinade. Ajoutez les pavés de thon. Enrobez-les bien puis laissez-les au moins 30 minutes au réfrigérateur.

• Pour le jus de tomate acidulé, portez à ébullition 30 cl d'eau avec le miel, le vinaigre et les grains de poivre concassés. Faites réduire aux trois quarts. Ajoutez le jus de tomate. Laissez réduire environ 15 minutes jusqu'à consistance d'un coulis : vous devez obtenir 15 cl de jus environ. Passez au chinois. Rectifiez l'assaisonnement.

• Préchauffez le gril ou la plancha ou préparez les braises du barbecue.

• Coupez les tomates en tranches de 0,5 mm d'épaisseur.

• Posez-les sur le gril et arrosez-les de la marinade du thon. Faites-les cuire 1 minute de chaque côté.

• Égouttez les pavés de thon et faites-les cuire 30 secondes sur chaque face.

• Répartissez les tranches de tomate dans 4 assiettes, puis disposez les pavés se chevauchant. Poivrez. Nappez de quelques traits de jus de tomate et servez le reste à part.

LE PETIT PLUS

Vous pouvez réaliser cette recette avec du filet de bœuf, du veau ou du blanc de poulet

LE PETIT CONSEIL

La green zebra est une tomate jaune zébrée de vert. Magnifique en assiette, elle apportera sa douceur acidulée à ce plat. Vous pouvez la remplacer par des tomates vertes.

▶▶▶

USTENSILES

un gril en fonte

un couteau

un doseur

un chinois

SAUTER

GAMBAS, CÉLERI ET TOFU À LA TOMATE LÉGÈREMENT ACIDULÉE, CACAHUÈTES GRILLÉES

20 MIN

CUISSON : 5 À 6 MIN

4 PERSONNES

12 gambas crues

4 petites sucrines

2 branches de céleri

250 g de tofu ferme

50 g de cacahuètes grillées

2 cuillerées à soupe de sauce tomate

2 cuillerées à soupe de vinaigre de riz

2 cuillerées à soupe d'huile d'arachide

1 cuillerée à soupe de sauce soja

- Décortiquez les gambas. Incisez le dos et enlevez le boyau.
- Coupez les sucrines en quatre dans la longueur.
- Épluchez le céleri avec un couteau économe puis émincez-le finement.
- Coupez le tofu en dés de 1 cm.
- Concassez grossièrement les cacahuètes.
- Chauffez à feu vif 1 cuillerée à soupe d'huile dans la poêle ou le wok. Jetez-y les gambas et faites-les cuire 3 à 4 minutes tout en remuant. Débarrassez-les sur une assiette.
- Ajoutez le reste d'huile dans la poêle puis versez le céleri et les sucrines. Faites-les cuire 2 minutes tout en les remuant.
- Ajoutez les gambas, le vinaigre de riz, la sauce tomate et la sauce soja. Mélangez bien.
- Incorporez délicatement les dés de tofu. Répartissez aussitôt dans les assiettes puis parsemez de cacahuètes.

LE PETIT CONSEIL
Pour cette cuisson ultra-rapide qui préserve le croquant et la texture des ingrédients, préparez bien tous les éléments avant de lancer la cuisson. Et n'attendez pas pour servir.

USTENSILES

un couteau

une poêle ou un wok

BŒUF, FENOUIL, TRAIT DE BALSAMIQUE ET FROMAGE DE CHÈVRE

15 MIN

CUISSON : 5 MIN

4 PERSONNES

350 g de filet de bœuf

200 g de fenouil

50 g d'oignon rouge

100 g de chair de tomate en dés

60 g de fromage de chèvre mi-sec

2 cuillerées à soupe d'huile d'olive

2 cuillerées à soupe de vinaigre balsamique

Sel, poivre du moulin

• Taillez le filet de bœuf en tranches fines de 2 mm d'épaisseur environ.

• Coupez le pied du fenouil puis effeuillez-le. Épluchez l'oignon rouge. Émincez le fenouil et l'oignon, dans la longueur, en lamelles de 2 à 3 mm de large.

• Faites chauffer la poêle ou le wok à feu vif avec l'huile d'olive. Versez l'oignon et le fenouil. Salez, poivrez et laissez cuire 2 minutes en remuant fréquemment.

• Toujours sur feu vif, ajoutez le bœuf. Salez, poivrez. Poursuivez la cuisson 2 minutes, toujours en remuant fréquemment.

• Ajoutez la tomate. Laissez cuire 1 minute. Versez le vinaigre balsamique. Mélangez puis retirez du feu. Rectifiez l'assaisonnement. Dressez dans les assiettes puis émiettez dessus le fromage de chèvre. Servez aussitôt.

LE PETIT PLUS

Vous pouvez remplacer le bœuf par du blanc de poulet, du magret de canard ou du mignon de veau et ajouter des herbes telles que la coriandre, le persil ou encore le cerfeuil.

▶▶▶
USTENSILES

une poêle
ou un wok

un couteau

une balance

CHOU CHINOIS AU GARAM MASALA ET YAOURT AUX GRAINES DE MOUTARDE

15 MIN

CUISSON : 4 À 5 MIN

4 PERSONNES

1 chou chinois

2 yaourts nature

1 cuillerée à soupe de
graines de moutarde
noire

8 brins de coriandre

3 cuillerées à soupe
d'huile de moutarde

1 cuillerée à soupe de
garam masala

Sel, poivre du moulin

- Placez les graines de moutarde dans une poêle chaude sans matière grasse. Torréfiez-les 1 à 2 minutes sans les brûler.
- Ciselez finement la coriandre.
- Versez les yaourts dans un bol. Ajoutez les graines de moutarde, la coriandre. Salez, poivrez et mélangez bien.
- Coupez le chou en deux dans la longueur. Lavez-le, égouttez-le puis coupez-le en lanières de 1 cm.
- Chauffez l'huile de moutarde dans la poêle ou le wok. Versez le chou émincé. Salez, poivrez. Laissez cuire à feu vif pendant 4 à 5 minutes en mélangeant fréquemment. Ajoutez si nécessaire 1 ou 2 cuillerées à soupe d'eau.
- Ajoutez le garam masala en fin de cuisson. Mélangez bien.
- Répartissez le chou dans 4 assiettes. Puis laissez chaque convive napper le chou de yaourt parfumé.

LE PETIT PLUS

Ce plat peut se manger seul ou être l'accompagnement d'un poisson poché ou d'une volaille.

LE PETIT CONSEIL

Si vous ne trouvez pas d'huile de moutarde, remplacez-la par de l'huile d'arachide.

Le garam masala est un mélange d'épices qui signifie « épice chaude », chaud étant à prendre au sens ayurvédique, c'est-à-dire qui réchauffe le corps (ce n'est pas pimenté en hindi).

À la place du garam masala, on peut utiliser du cumin en poudre ou un mélange de cumin en poudre, de coriandre en poudre, de cannelle en poudre et de gingembre en poudre.

 USTENSILES

une poêle
ou un wok

un couteau

BRAISER

L'ESSENTIEL POUR RÉUSSIR LA CUISSON BRAISÉE

Cette technique de cuisson s'applique principalement à de grosses pièces de viande détaillées en morceaux pour les ragoûts et entières pour les braisées. Ce sont généralement des cuissons longues, lentes et régulières.

›› LES USTENSILES

Une cocotte en fonte, un plat à tajine ou une terrine. Tout plat muni d'un couvercle qui peut passer sur la flamme et au four. Du papier sulfurisé.

• L'intérêt gustatif

C'est un mode de cuisson plus long et plus complexe à mettre en œuvre, mais qui développe au mieux la saveur des aliments et permet l'échange de parfums et d'arômes. La cuisson s'élabore en deux étapes : un rissolage suivi d'une cuisson lente et longue dans un récipient clos.

On parle de braisage pour une pièce entière et de ragoût pour des morceaux.

• L'intérêt nutritionnel

C'est une cuisson douce, à basse température et à l'étuvée, c'est-à-dire à couvert, avec très peu d'ajout de liquide (on profite de l'eau de constitution des aliments) et de matière grasse. C'est une combinaison idéale pour préserver à la fois saveur et nutriments (tous les sels minéraux et certaines vitamines hydrosolubles).

›› COMMENT S'Y PRENDRE ?

Faites revenir le ou les aliments à feu vif, dans un peu de matière grasse pour les caraméliser et constituer une croûte protectrice. Éliminez la matière grasse puis reposez les aliments dans la cocotte en versant un peu de liquide (eau, jus, bouillon, vin…). Couvrez et laissez mijoter longuement. Si besoin, réchauffez à feu doux. Remuez pendant la réchauffe pour éviter que les aliments n'attachent au fond de la cocotte.

›› POUR QUELS PRODUITS ? POUR QUELS PLATS ?

Les viandes plutôt grasses qui seront très moelleuses et donneront de la sapidité à la sauce ou aux légumes en fondant.

Mais aussi tous les légumes. Certains peuvent être blanchis au préalable pour en retirer l'amertume (endive, laitue) ou les rendre plus digestes (chou).

• À éviter

Les viandes maigres. Sinon il faut les entourer d'une barde de lard ou les piquer de bâtonnets de lard.

• Temps de cuisson

Les temps de cuisson peuvent varier selon la qualité de la viande.

Pour le bœuf

Macreuse, paleron, aiguillette de rumsteck, gîte à la noix, surlonge ou basses côtes, paleron : 1 heure par kg.

Queue, joue, cœur : 1 h 30 à 2 heures.

Pour le veau
Jarret, tendron : 1 h 30.
Ris : 30 minutes.

Pour l'agneau
Collier, poitrine, épaule : 40 à 45 minutes.

Pour le porc
Joue : 1 h.

Pour les volailles
Cuisse de poulet farcie : 30 minutes.

Pour les poissons
La technique se rapproche du pochage : mouillement court, dans un plat à couvert et cuit au four.
Turbot, barbue, bar, lotte : 10 à 20 minutes pour les tranches, darnes et tronçons, selon épaisseur ; 10 à 12 minutes par kg pour les poissons plats entiers ; 15 minutes par kg pour les autres poissons entiers.

La liste des plats braisés est immense. C'est une manière de cuisiner très traditionnelle avec un ancrage régional très fort.
C'est donc une cuisine fédératrice, chaleureuse, idéale pour des repas en famille ou entre amis pour profiter du moment sans passer des heures en cuisine.

LE PETIT PLUS GOURMAND
Faites mariner la viande au moins 2 heures avec des aromates, du vin.
Faites rissoler la viande égouttée puis épongée, et utilisez la marinade comme mouillement pour la cuisson.

LE PETIT PLUS TECHNIQUE
Le couvercle à picots des cocottes en fonte permet de retenir les gouttelettes de vapeur d'eau qui, en retombant, hydrateront de nouveau les aliments pour plus de moelleux.

LE PETIT PLUS PRATIQUE
Pour ne pas perdre de jus de cuisson, il faut un couvercle bien hermétique. Si ce n'est pas le cas, vous pouvez « luter » votre plat. Préparez une boule de pâte avec de la farine et de l'eau. Réalisez un boudin que vous placerez à la jointure de la cocotte et du couvercle. Elle assurera l'étanchéité pendant la cuisson.

NAVARIN PRINTANIER

1 H

CUISSON 45 MIN

4 PERSONNES

600 g d'épaule d'agneau
sans os

1 gousse d'ail hachée

75 g d'oignon ciselé

350 g de pommes
de terre

250 g de carottes

250 g de navets

125 g d'oignons grelots

50 g de haricots verts

50 g de petits pois
écossés

1 bouquet garni

1 cuillerée à soupe
de persil haché

30 g de beurre

25 g de farine

25 g de concentré
de tomates

2 pincées de sucre

3 cuillerées à soupe
d'huile d'arachide

1 cuillerée à soupe
d'huile d'olive

Sel, poivre du moulin

• Préchauffez le four à 200 °C (th. 6/7). Coupez l'agneau en dés de 50 g environ.

• Chauffez l'huile dans une cocotte allant au four. Faites colorer légèrement les morceaux de viande pendant 3 minutes environ.

• Égouttez-les dans une passoire puis dégraissez la cocotte. Placez ensuite les oignons ciselés et faites-les revenir sans coloration pendant 2 minutes avec 1 cuillerée à soupe d'huile d'olive. Remettez la viande. Saupoudrez de farine et mélangez bien pour enrober les morceaux.

• Versez 1 litre d'eau. L'eau doit recouvrir la viande à hauteur. Ajoutez l'ail haché, le bouquet garni et le concentré de tomates. Salez, poivrez. Placez à feu vif et portez à ébullition. Couvrez et enfournez pour 35 à 40 minutes.

• Préparez les légumes. Épluchez et coupez les navets et les carottes en morceaux. Placez chaque légume dans une casserole avec 10 g de beurre, 1 pincée de sucre, 1 pincée de sel et de l'eau à hauteur des légumes. Couvrez d'une feuille de papier sulfurisé et laissez cuire à petits bouillons pendant 20 minutes environ. Les légumes doivent être tendres et enrobés d'une pellicule brillante.

• Épluchez et coupez les pommes de terre en morceaux. Faites-les cuire à l'eau bouillante salée pendant 15 minutes. Vérifiez la cuisson avec la pointe d'un couteau.

• Effilez et lavez les haricots verts. Coupez-les en tronçons de 2 cm. Faites-les cuire à l'eau bouillante salée avec les petits pois pendant 3 minutes environ.

• Placez les oignons grelots épluchés dans une casserole, sur une seule épaisseur. Ajoutez 1 pincée de sucre, 1 pincée de sel et 10 g de beurre. Mouillez d'eau froide à hauteur. Portez à ébullition. Couvrez d'une feuille de papier sulfurisé et laissez cuire à feu doux, pendant 20 minutes environ, jusqu'à ce que les oignons caramélisent légèrement.

• Sortez la cocotte du four. Prélevez les morceaux de viande avec une écumoire et placez-les dans une autre cocotte. Disposez les légumes sur la viande. Filtrez la sauce puis versez-la sur la viande et les légumes. Donnez une ébullition. Parsemez de persil haché et servez.

▶▶▶ USTENSILES

une balance

un couteau

une cocotte

du papier sulfurisé

LE PETIT PLUS

Vous pouvez utiliser d'autres légumes de votre choix : courgettes, fenouil… et remplacer le bouquet garni par du romarin, de la sarriette ou des épices comme le cumin, la cardamome.

LE PETIT CONSEIL

Le papier sulfurisé permet de concentrer les saveurs sans bloquer l'évaporation de l'eau.

FRICASSÉE DE VOLAILLE À L'ANCIENNE

25 MIN

CUISSON : 35 MIN

4 PERSONNES

1 poulet fermier
coupé en 8 morceaux

125 g de champignons de Paris

125 g d'oignons grelots

60 g d'oignon ciselé

1 cuillerée à soupe
de jus de citron

15 cl de crème double

60 g de beurre

30 g de farine

1 l de fond blanc de volaille

1 pincée de sucre

Sel, poivre du moulin

• Salez et poivrez les morceaux de poulet. Colorez-les à feu moyen dans une cocotte, avec 40 g de beurre, en commençant par le côté peau. Enlevez-les de la cocotte et mettez à la place l'oignon ciselé. Faites-le suer sans coloration. Ajoutez la farine. Mélangez bien puis laissez cuire doucement 3 à 4 minutes, toujours sans coloration.

• Versez le fond blanc. Mélangez bien. Rajoutez les morceaux de poulet. Portez à ébullition. Couvrez et laissez cuire à petits bouillons pendant 20 minutes environ. Retournez les morceaux aux deux tiers de la cuisson et vérifiez que la sauce n'attache pas au fond. Dans ce cas, ajoutez un peu d'eau.

• Retirez les blancs de poulet 5 minutes avant la fin de la cuisson. Réservez au chaud.

• Lavez et coupez en quatre les champignons de Paris. Placez-les dans une casserole avec 10 g de beurre, 3 à 4 cuillerées à soupe d'eau, le jus de citron et 1 pincée de sel. Laissez-les cuire à couvert pendant 3 à 4 minutes. Réservez au chaud.

• Épluchez les oignons grelots. Placez-les dans une casserole, sur une seule épaisseur. Ajoutez le sucre, 10 g de beurre et 1 pincée de sel. Mouillez d'eau froide à hauteur. Portez à ébullition. Couvrez d'une feuille de papier sulfurisé et laissez cuire à feu doux 15 minutes environ, jusqu'à évaporation de l'eau de cuisson. Réservez au chaud.

• Ôtez les morceaux de poulet de la cocotte. Ajoutez la crème et faites cuire 10 minutes à feu doux. Vérifiez l'assaisonnement. Filtrez la sauce. Rassemblez tous les éléments dans la cocotte. Donnez une ébullition puis servez.

LE PETIT PLUS

Vous pouvez remplacer les champignons de Paris par des morilles et ajouter au dernier moment 2 petits citrons au sel coupés en quatre. Servez avec un riz pilaf, des pâtes ou des légumes vapeur.

LE PETIT CONSEIL

Pour réaliser le fond blanc, reportez-vous au livre *Les sauces indispensables* de Guy Martin, paru aux éditions Minerva. À défaut, utilisez un bouillon de cube de volaille délayé dans 1 litre d'eau chaude.

USTENSILES

une casserole

une cocotte

une balance

du papier sulfurisé

LAITUES BRAISÉES

15 MIN

CUISSON : 1 H

4 PERSONNES

4 laitues de 200 g

80 g de carotte

80 g d'oignon

1 bouquet garni

100 g de couenne
de porc

40 cl de fond blanc
de volaille

20 g de beurre

Sel, poivre du moulin

- Portez à ébullition une grande casserole d'eau salée.
- Enlevez si besoin les feuilles abîmées des laitues. Coupez légèrement le pied en pointe. Lavez-les soigneusement.
- Plongez les laitues tête en premier dans l'eau bouillante. Appuyez-les délicatement avec une écumoire. Blanchissez-les 1 à 2 minutes. Selon la taille de votre casserole procédez en une ou plusieurs fois.
- Retirez-les de la casserole avec une écumoire puis plongez-les dans un récipient d'eau glacée pour stopper la cuisson. Égouttez-les puis pressez-les délicatement dans vos mains pour en extraire l'eau et leur donner une forme allongée.
- Préchauffez le four à 200 °C (th. 6/7).
- Épluchez et émincez finement la carotte et l'oignon.
- Faites fondre le beurre dans une cocotte ayant juste la taille pour contenir les 4 laitues côte à côte. Faites suer la carotte et l'oignon sans coloration pendant 3 minutes.
- Posez les laitues dessus. Ajoutez le fond de volaille puis le bouquet garni. Salez, poivrez. Couvrez de la couenne, côté gras sur les laitues.
- Portez à ébullition. Couvrez puis enfournez pour 1 heure.
- Égouttez les laitues sur une grille avant de servir.

LE PETIT PLUS

Les laitues braisées accompagnent parfaitement un rôti de veau.

LE PETIT CONSEIL

Pour réaliser le fond blanc, reportez-vous au livre *Les sauces indispensables* de Guy Martin, paru aux éditions Minerva. À défaut, utilisez un bouillon de cube de volaille délayé dans 1 litre d'eau chaude.

>>>

>>> USTENSILES

une casserole

un couteau

une cocotte

LE PAS À PAS

Plongez les laitues, tête en
bas, dans l'eau bouillante.
Maintenez-les sous l'eau
avec l'écumoire.

Transvasez les laitues dans
un grand bol d'eau froide
pour arrêter la cuisson.

Égouttez puis pressez
délicatement les laitues
blanchies avec vos mains
pour en extraire l'eau.

Posez les laitues sur
la garniture
puis recouvrez-les
de couenne.

EN PAPILLOTE

CUISSON : 6 À 8 MIN

4 PERSONNES

4 escalopes de foie gras de canard cru de 80 g chacune

80 g de wakame frais

Sel, fleur de sel, poivre du moulin

FOIE GRAS DE CANARD ET WAKAME

- Taillez 4 rectangles de papier sulfurisé de 30 x 20 cm.

- Salez et poivrez les escalopes de foie gras.

- Répartissez le wakame au centre des rectangles de papier puis déposez le foie gras par-dessus.

- Pliez les papillotes et maintenez les extrémités avec des trombones ou des agrafes.

- Faites cuire au cuit-vapeur 6 à 8 minutes.

- Ouvrez les papillotes. Parsemez de fleur de sel. Donnez un tour de moulin à poivre. Servez aussitôt.

LE PETIT CONSEIL

Le wakame est une variété d'algue. Vous en trouverez du frais dans les boutiques bio. À défaut, vous pouvez réhydrater du wakame séché.

USTENSILES

du papier sulfurisé   un cuit-vapeur

COURGETTES ET TOMATES À L'HUILE DE VANILLE ET À LA SAUGE ANANAS

CUISSON : 20 MIN

4 PERSONNES

2 courgettes vertes de 200 g

4 tomates

1/2 gousse de vanille

8 feuilles de sauge ananas

2 cuillerées à soupe d'huile d'olive

Sel, poivre du moulin

- Préchauffez le four à 180 °C (th. 6).

- Lavez et coupez les extrémités des courgettes. Taillez-les en quatre dans la longueur puis en tronçons de 2 cm.

- Plongez les tomates dans une casserole d'eau bouillante pendant 1 minute. Refroidissez-les dans un bol d'eau glacée. Retirez leur peau. Coupez-les en quatre puis épépinez-les.

- Placez les courgettes et les tomates dans un saladier. Ajoutez l'huile d'olive et la sauge ciselée. Fendez la demi-gousse de vanille et grattez les graines au-dessus du saladier. Salez, poivrez. Mélangez bien.

- Répartissez dans 4 papillotes en silicone ou en papier. Coupez la demi-gousse de vanille grattée en 4 morceaux puis ajoutez-les dans les papillotes.

- Enfournez pour 20 minutes. Servez aussitôt.

LE PETIT PLUS

Accompagnez ces légumes d'un simple riz basmati.

LE PETIT CONSEIL

La sauge ananas tient son nom de son parfum. À défaut, vous pouvez prendre de la sauge officinale. Mais utilisez-en simplement 4 feuilles car elle est plus puissante.

 USTENSILES

un couteau   une casserole

BANANE, MANGUE ET NOIX DE COCO PARFUMÉES AU LAURIER

CUISSON : 20 MIN

4 PERSONNES

4 bananes

1 mangue de 450 g

30 g de noix
de coco fraîche

4 feuilles de laurier

2 feuilles de bananier

- Préchauffez le four à 200 °C (th. 6/7).
- Coupez les feuilles de laurier en deux dans la longueur.
- Détaillez la noix de coco en copeaux, avec un couteau économe.
- Épluchez la mangue. Coupez-la en deux dans la longueur en longeant le noyau de chaque côté. Taillez chaque demi-mangue en deux dans la longueur puis émincez-les en tranches de 2 à 3 mm d'épaisseur.
- Épluchez les bananes puis coupez-les en deux dans la longueur.
- Taillez 4 rectangles de 30 x 40 cm dans les feuilles de bananier.
- Plongez-les délicatement dans une grande casserole d'eau bouillante pendant 10 minutes pour les assouplir.
- Rafraîchissez-les dans un récipient d'eau glacée.
- Égouttez-les. Séchez-les.
- Placez une demi-mangue au centre de chaque feuille de bananier, puis placez de chaque côté une demi-banane. Parsemez de copeaux de noix de coco. Ajoutez les demi-feuilles de laurier.
- Repliez les bords des feuilles de façon à enfermer les fruits. Maintenez les fermetures avec des piques en bois.
- Enfournez pour 10 minutes. Servez aussitôt.

LE PETIT PLUS

Vous pouvez napper de fruits, d'un trait de miel ou de sirop d'érable.

LE PETIT CONSEIL

Utilisez des feuilles de bananier à usage alimentaire. Vous les trouverez dans les magasins asiatiques. Vous pouvez, à la place, utiliser une feuille de papier sulfurisé. >>>

USTENSILES

un couteau

une casserole

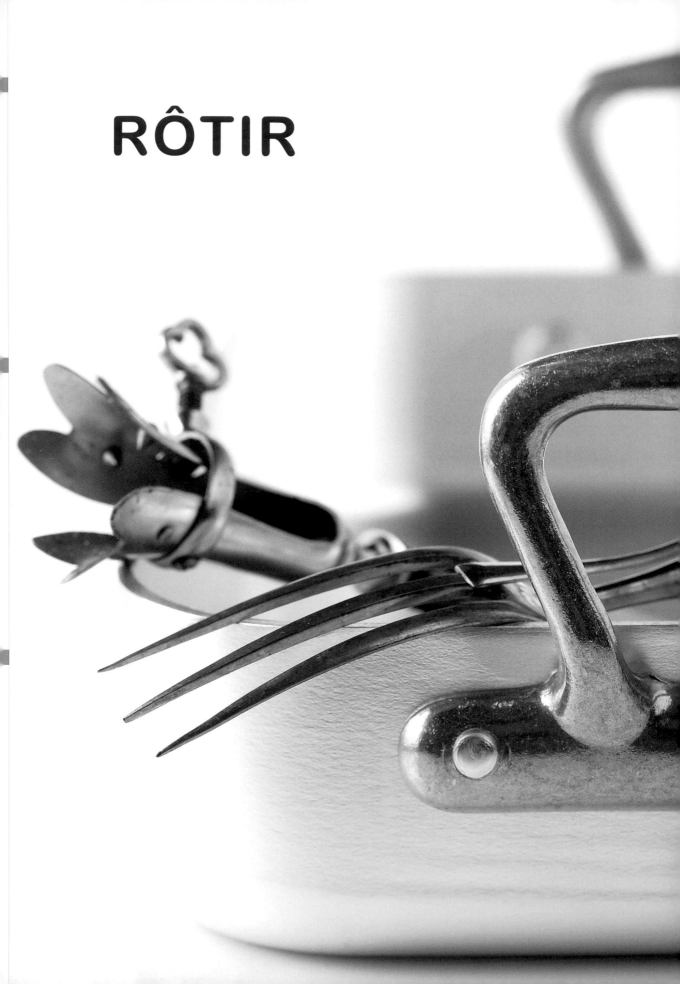

RÔTIR

DAURADE RÔTIE
AUX SAVEURS D'ORIENT

20 MIN

CUISSON : 45 MIN

4 PERSONNES

1 daurade de 1 kg

4 tomates

4 courgettes fines

2 poivrons jaunes

1 petit piment rouge

10 brins de coriandre

5 feuilles de menthe

10 brins de persil plat

2 brins de thym citron

1 cuillerée à café rase
de paprika

1 cuillerée à café rase
de carvi en poudre

2 cuillerées à soupe
d'huile d'olive

Sel, poivre du moulin

• Demandez à votre poissonnier de préparer la daurade prête à cuire : écaillée, vidée, ébarbée et ouïes enlevées.

• Préchauffer le four à 200 °C (th. 6/7).

• Hachez grossièrement la coriandre, le persil et la menthe.

• Salez et poivrez l'intérieur de la daurade puis farcissez-la des herbes hachées. Réservez-la au frais.

• Épluchez les poivrons jaunes. Coupez-les en quatre. Enlevez la partie blanche et les graines. Taillez-les en lamelles de 5 mm de large.

• Coupez le piment en deux dans la longueur. Ôtez les graines puis émincez-le.

• Lavez et coupez en rondelles de 1 cm d'épaisseur les tomates et les courgettes.

• Dans un plat creux allant au four, répartissez les rondelles de courgette puis de tomate. Parsemez de poivron jaune et de piment. Salez, poivrez. Effeuillez le thym citron sur les légumes puis ajoutez 20 cl d'eau.

• Couvrez d'une feuille de papier d'aluminium et faites cuire 10 minutes au four.

• Dans un bol, mélangez l'huile d'olive, le paprika, le carvi, un peu de sel et de poivre.

• Sortez le plat du four. Posez la daurade sur les légumes. Arrosez-la d'huile d'olive aux épices. Couvrez avec l'aluminium puis enfournez pour 30 à 35 minutes.

• À la sortie du four, attendez 5 minutes avant de retirer l'aluminium.

• Servez dans le plat de cuisson.

LE PETIT PLUS

Variez les épices en utilisant du cumin, du fenouil, de la coriandre ou du ras-al-hanout.

LE PETIT CONSEIL

Pour vérifier la cuisson du poisson, voici quelques indications.

Avec une sonde à 55° C à cœur ou avec la pointe d'un couteau, piquez le poisson, sur 2 cm de profondeur, au niveau de la tête, sur l'arête centrale. Laissez 30 secondes, retirez et placez la lame sur votre lèvre. La chaleur doit rester supportable.

 USTENSILES

un couteau

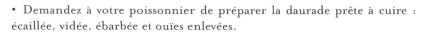
du papier d'aluminium

un doseur

POMMES AU FOUR AU HADDOCK ET AUX CÂPRES

10 MIN

CUISSON : 15 MIN

4 PERSONNES

120 g de haddock tranché

4 pommes Royal Gala

1/2 cuillerée à café
d'estragon finement haché

40 g de beurre mou

2 cuillerées à soupe
de crème liquide

80 g de tarama

1 cuillerée à soupe de câpres
non pareilles

4 tranches de pain
de campagne

• Préchauffez le four à 180 °C (th. 6).

• Mélangez le beurre et l'estragon.

• Coupez les tranches de haddock en lamelles de 1 cm de largeur.

• Lavez et essuyez les pommes. Sans les éplucher, évidez-les à l'aide d'un vide-pomme.

• Tartinez les tranches de pain de campagne avec le beurre à l'estragon puis posez-les dans un plat à four.

• Posez les pommes par-dessus. Farcissez-les de câpres et de haddock.

• Enfournez pour 15 minutes.

• Détendez le tarama avec la crème.

• Servez dès la sortie du four en disposant chaque pomme sur sa tranche de pain dans une assiette. Nappez de tarama.

LE PETIT PLUS

Vous pouvez accompagner les pommes d'une salade de mâche.

LE PETIT CONSEIL

Pour éviter que la peau d'une pomme au four n'éclate, faites une fine incision sur tout son pourtour avec un couteau.

USTENSILES

un couteau   une balance

COQUELETS LAQUÉS AU SIROP D'ÉRABLE

10 MIN

MARINADE : 1 H
CUISSON : 45 MIN

4 PERSONNES

2 coquelets prêts à cuire

1/2 botte de coriandre

Le jus d'un citron vert

2 cuillerées à soupe
d'huile de pépins de raisin

1 cuillerée à soupe
d'huile de sésame

3 cuillerées à soupe
de sirop d'érable

1 cuillerée à soupe
de vinaigre de riz

3 cuillerées à soupe
de moutarde de Dijon

Sel, poivre du moulin

• Mélangez les huiles avec le jus de citron.

• Salez et poivrez l'intérieur des coquelets puis répartissez la coriandre hachée grossièrement à l'intérieur. Placez-les dans un plat creux allant au four. Versez le mélange d'huiles et citron. Enrobez bien les coquelets. Couvrez d'un film alimentaire et laissez mariner 1 heure au réfrigérateur en les retournant de temps en temps.

• Préchauffez le four à 200 °C (th. 6/7).

• Enfournez les coquelets pour 25 minutes en les arrosant régulièrement de la marinade.

• Mélangez le sirop d'érable avec la moutarde et le vinaigre. Badigeonnez les coquelets de ce mélange. Enfournez de nouveau 20 minutes en les arrosant régulièrement du mélange pour obtenir une peau laquée et dorée.

• À la sortie du four, coupez les coquelets en deux et servez.

LE PETIT PLUS

Vous pouvez accompagner les coquelets de légumes sautés au wok.

LE PETIT CONSEIL

Cette recette peut être réalisée avec toutes les autres volailles : caille, pigeon, poulet, pintade. Dans ce cas, adaptez les quantités.

 USTENSILES

du film alimentaire

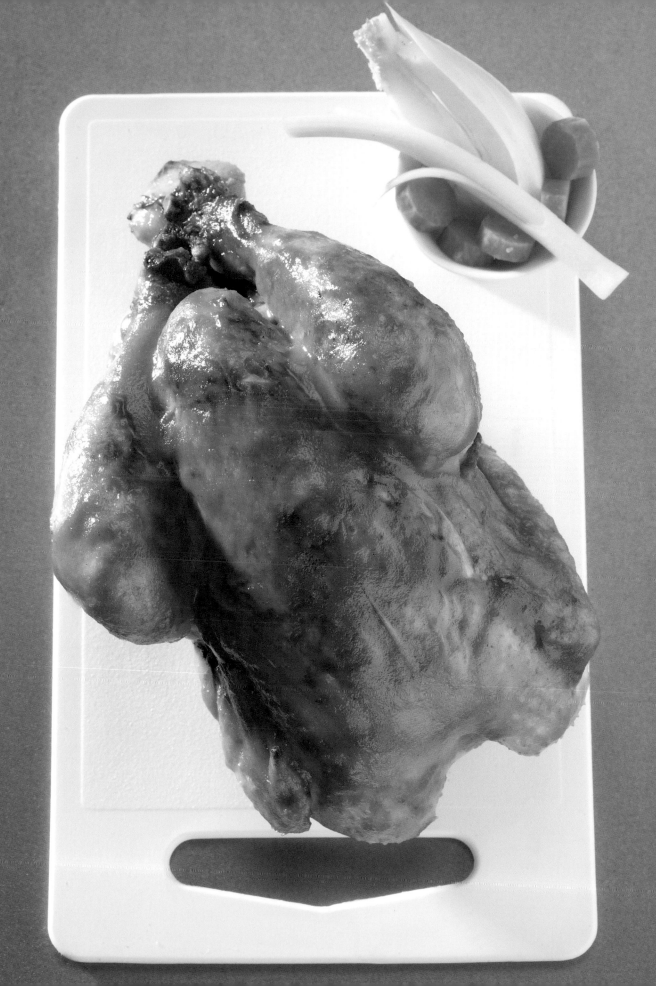

RÔTI DE THON FROTTÉ AU RAS AL-HANOUT, TOMATES ET POITRINE FUMÉE

10 MIN

MARINADE : 1 H
CUISSON : 10 MIN
REPOS : 5 MIN

4 PERSONNES

600 g de filet de thon rouge

15 fines tranches
de poitrine fumée

4 pétales de tomate séchée

2 gousses d'ail

1 brin de thym

1 feuille de laurier

1/2 cuillerée à café
de ras al-hanout

3 cuillerées à soupe
d'huile d'olive

Sel, poivre du moulin

• Frottez le filet de thon avec le ras al-hanout. Salez, poivrez.

• Placez les pétales de tomate sur toute la longueur du filet. Puis enroulez autour les tranches de poitrine fumée en veillant à placer toutes les jointures du même côté. Fixez-les avec de la ficelle de cuisine.

• Mélangez l'huile d'olive, les gousses d'ail grossièrement écrasées, le thym et le laurier. Placez le filet de thon dans un plat creux et versez dessus l'huile parfumée. Faites rouler le filet de thon dans l'huile puis couvrez-le d'un film alimentaire. Laissez-le mariner 1 heure au réfrigérateur en le retournant de temps en temps.

• Préchauffez le four à 200°C (th. 6/7)en le mettant en position broche/gril.

• Embrochez le filet de thon et mettez-le au four en plaçant la lèchefrite dessous, afin de récupérer le jus et de l'arroser durant la cuisson avec sa marinade. Faites-le cuire 10 minutes.

• Sortez le filet de thon du four, retirez la broche, posez-le sur un plat et couvrez-le d'un papier aluminium. Laissez-le reposer 5 minutes.

• Déficelez-le puis coupez-le en tranches.

LE PETIT PLUS

Pour une cuisson plus à point, prolongez la cuisson de 5 minutes.

LE PETIT CONSEIL

Servez le rôti de thon avec une poêlée de courgettes, un riz nature ou des tomates confites au four.

USTENSILES

du film alimentaire
du papier d'aluminium

EN CROÛTE

L'ESSENTIEL POUR RÉUSSIR LA CUISSON EN CROÛTE

›› LES USTENSILES

Une plaque de cuisson, du papier sulfurisé, un rouleau à pâtisserie.

• L'intérêt gustatif

La croûte permet d'enfermer l'aliment hermétiquement et de le cuire à la vapeur avec son eau de constitution. Il en résulte une concentration de saveur et une texture incomparable. La chair est moelleuse, fondante. La croûte, si elle est parfumée, intensifie les arômes au cours d'une cuisson lente et douce.

• L'intérêt nutritionnel

Une cuisson douce, sans ajout de matière grasse, qui respecte les nutriments comme pour la cuisson en papillote. Les sels minéraux ne fuient pas, certaines vitamines sont préservées.

›› COMMENT S'Y PRENDRE ?

La technique consiste à envelopper complètement l'aliment d'une épaisse couche d'un élément isolant.

La croûte de sel

Elle est confectionnée de préférence avec du gros sel gris de Guérande, riche en oligo-éléments et bien humide. Paradoxalement, elle ne salera pas l'aliment. Elle séchera au fur et à mesure de la cuisson pour devenir une gangue rigide qu'il faudra casser. Dans une cocotte ou une terrine, faites un lit de sel. Posez l'aliment puis recouvrez-le totalement de sel. Enfournez dans un four préchauffé à 180 °C (th. 6).
On peut également mélanger le sel avec des blancs d'œufs, afin d'obtenir une pâte malléable, pour enrober l'aliment, et le faire cuire sur une plaque de cuisson.
Il n'est pas utile de saler. Les aliments vont prendre le sel nécessaire qui se trouve dans la croûte durant la cuisson.

• Pour les poissons

Ils doivent être vidés par les ouïes et ne pas être écaillés. La durée de cuisson varie selon la variété et la taille des poissons.

• Pour les pièces de viande

Elles doivent être badigeonnées d'huile. La cuisson varie selon le morceau et la taille.

Tout peut se préparer en croûte, mais il faut se référer à la nature du produit et à son poids.

Des herbes ou des épices peuvent être ajoutées comme le fenouil, le thym, le romarin, des algues. Il est également impératif de recouvrir totalement la surface.

La croûte de pain

Elle est confectionnée avec une pâte à pain ou une pâte à base de farine, d'eau, d'œuf et de gros sel.

La croûte d'herbes

La croûte d'herbes est faite en général à partir de chapelure, de beurre mou et d'herbes hachées, en un mélange homogène. Enrobez-en une viande ou un poisson en fin de cuisson et colorez au four ou sous le gril.

La croûte d'argile

On trouve de l'argile en herboristerie ou dans les magasins de loisirs créatifs sous plusieurs présentations : en pâte prête à l'emploi ; en poudre ou en galets qu'il faut humidifier pour obtenir une pâte homogène. Vous pouvez protéger l'aliment avec du papier sulfurisé mais ce n'est pas toujours nécessaire.

La croûte de pâte feuilletée, brisée, à brioche

Ce sont les seules croûtes, avec celle à base de pâte à pain, qui peuvent être consommées.

▸▸ POUR QUELS PRODUITS, POUR QUELS PLATS ?

Les viandes, les poissons, les volailles mais aussi les légumes et les fruits.

• À éviter

Tous les aliments qui n'ont pas d'eau constitutive et nécessitent d'être plongés dans l'eau : céréales et légumes secs.

LE PETIT PLUS TECHNIQUE

Pour casser facilement les croûtes de sel et d'argile, il est préférable de placer un torchon propre sur la croûte et de donner des coups secs avec un maillet.

LE PETIT PLUS PRATIQUE

Les viandes (exceptées celles en croûte de sel) doivent impérativement être saisies sur toutes les faces, voire même précuites pour une cuisson à point ou bien cuite. Il faut ensuite les laisser reposer à température ambiante sur une grille et bien les essuyer avant de les habiller de croûte. Il est recommandé de laisser reposer les viandes et les poissons en croûte 5 à 10 minutes dans le four éteint avant de les servir, pour que la chaleur se répartisse dans toute la pièce cuite en croûte.
Attention : à la sortie du four, la viande ou le poisson continuent de cuire et surtout les croûtes en pâte ramollissent. Ce sont des cuissons qui se font au dernier moment, il est déconseillé de les cuire en avance et surtout de les réchauffer.

LÉGUMES EN CROÛTE DE SEL ET D'ÉPICES

30 MIN

CUISSON : 30 MIN

4 PERSONNES

1 bulbe de fenouil de 300 g

2 carottes de 60 g

2 oignons nouveaux
en botte de 30 g chacun

4 mini-choux-fleurs

Pour la croûte d'épices

800 g de farine

4 blancs d'œufs

100 g de gros sel

2 cuillerées à soupe
d'huile de sésame

4 cuillerées à soupe
de graines de sésame grillées

2 cuillerées à soupe
de graines de fenouil grillées

2 cuillerées à soupe
de graines de coriandre

Pour la sauce sésame

30 g de pâte de sésame
asiatique (cette pâte
de sésame ressemble plutôt
à de la pâte de cacahuète)

3 cuillerées à soupe
de vinaigre de riz

1 cuillerée à soupe
de sauce soja

1 pincée de piment d'Espelette

• Versez dans un saladier la farine, le gros sel et les graines. Faites un puits et versez au centre les blancs d'œufs légèrement battus, 28 cl d'eau et l'huile de sésame. Pétrissez jusqu'à l'obtention d'une pâte homogène et souple. Formez une boule. Enveloppez-la de film alimentaire. Réservez au frais.

• Lavez puis coupez le fenouil en 8 quartiers.

• Épluchez et coupez les carottes en deux, dans la longueur.

• Coupez les oignons nouveaux en deux dans la longueur.

• Ôtez les feuilles des minis-choux-fleurs. Lavez-les.

• Préchauffez le four à 180 °C (th. 6).

• Coupez la pâte en 4 parts égales. Étalez chaque pâton en carré de 3 mm d'épaisseur avec un rouleau à pâtisserie.

• Répartissez les légumes sur chaque carré de pâte. Humectez légèrement les bords avec un pinceau et de l'eau. Rabattez la pâte sur les légumes pour les envelopper entièrement comme un chausson. Pincez les bords pour fermer hermétiquement. Découpez le surplus de pâte si besoin.

• Posez les chaussons sur une plaque recouverte de papier sulfurisé. Enfournez pour 30 minutes.

• Préparez la sauce. Détendez la pâte de sésame avec 2 cuillerées à soupe d'eau. Ajoutez le reste des ingrédients.

• À la sortie du four, attendez 5 minutes avant de découper les chaussons avec la pointe d'un couteau pour dégager les légumes. Servez avec la sauce.

LE PETIT PLUS

Ces légumes accompagneront un poisson vapeur ou une volaille. Vous pouvez utiliser selon votre goût d'autres épices ou herbes et choisir d'autres légumes : cœurs de céleri, endives...

LE PETIT CONSEIL

La pâte ne se mange pas. Elle permet de cuire et de parfumer les légumes.

USTENSILES

du film alimentaire

une balance

un couteau

un doseur

FILET DE BŒUF WELLLINGTON

45 MIN

**RÉFRIGÉRATION : 30 MIN
CUISSON : 40 À 45 MIN**

4 PERSONNES

500 g de pâte feuilletée

600 g de filet de bœuf

200 g de foie gras cuit

200 g de champignons
de Paris

2 cuillerées à soupe
de persil haché

20 g d'échalote ciselée

10 g de beurre

1 jaune d'œuf

2 cuillerées à soupe
d'huile d'arachide

Sel, poivre du moulin

 USTENSILES

une casserole

du papier d'aluminium

• Préchauffez le four à 180 °C (th. 6).

• Ficelez le filet de bœuf avec de la ficelle de cuisine pour qu'il ait un diamètre uniforme : la pièce de viande doit être du même diamètre sur toute sa longueur pour obtenir une cuisson homogène.

• Salez, poivrez. Colorez-le sur toutes ses faces dans une poêle avec l'huile d'arachide.

• Enfournez-le : 5 minutes pour une cuisson saignante ; 10 minutes pour une cuisson à point.

• Placez-le sur une grille et réservez-le à température ambiante, couvert d'une feuille de papier d'aluminium.

• Nettoyez les champignons de Paris puis hachez-les finement.

• Faites suer les échalotes au beurre sans coloration dans une casserole. Ajoutez les champignons hachés. Salez, poivrez. Laissez cuire pendant 5 minutes environ, jusqu'à complète évaporation de l'eau de végétation. Laissez refroidir puis ajoutez le persil haché.

• Réduisez le foie gras en purée.

• Déficelez le filet puis essuyez-le avec du papier absorbant.

• Tartinez toute sa surface du foie gras en purée. Garnissez le dessus de champignons en une couche uniforme.

• Étalez la pâte feuilletée au rouleau à pâtisserie en un rectangle de 3 mm d'épaisseur. Enrobez le filet de pâte et pincez la jointure pour bien la souder. Placez le filet sur une plaque de cuisson recouverte d'une feuille de papier sulfurisé, jointure en dessous. Dorez au jaune d'œuf puis laissez 30 minutes au réfrigérateur.

• Préchauffez le four à 210 °C (th. 7).

• Enfournez pour 10 minutes de cuisson puis baissez la température à 180 °C (th. 6). Poursuivez la cuisson pendant 20 à 25 minutes.

• Découpez le filet en tranches. Servez aussitôt.

LE PETIT PLUS

Pour parachever ce classique, accompagnez-le d'une sauce madère à la truffe hachée.

LE PETIT CONSEIL

Personnalisez la recette en remplaçant les champignons de Paris par des cèpes ou des pelures de truffe. Ou bien parsemez le foie gras de graines de sésame torréfiées.

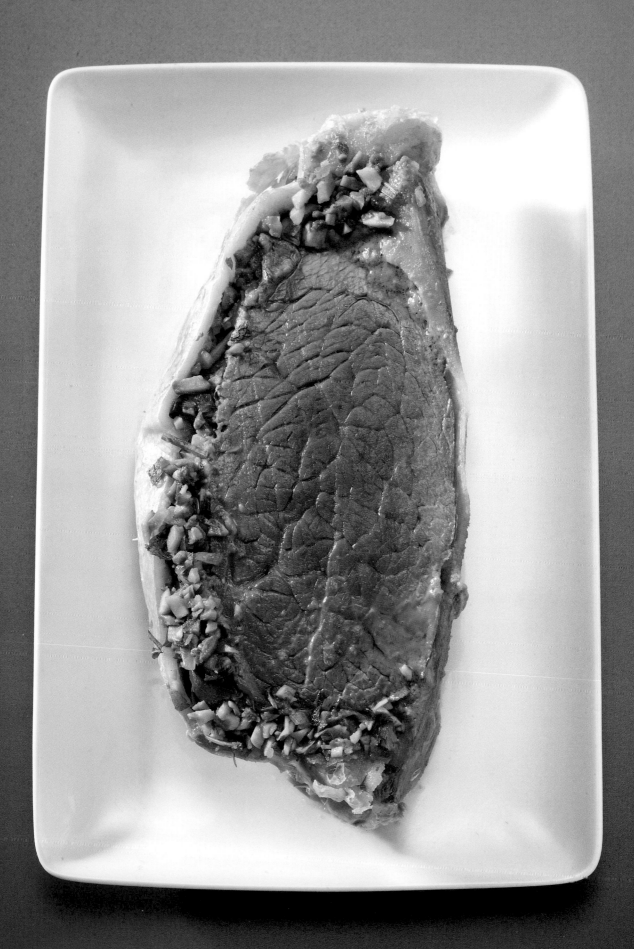

— 20 MIN —

CUISSON : 40 MIN

4 PERSONNES

800 g d'argile

1 ananas

1 banane

50 g de beurre

2 cl de rhum ambré

15 cl de jus d'orange

1 gousse de vanille

1 étoile de badiane

Poivre du moulin

>>> USTENSILES

du papier sulfurisé

un couteau

une poêle

ANANAS ET BANANE EN CROÛTE D'ARGILE

• Préchauffez le four à 220 °C (th. 6/7).

• Coupez les deux extrémités de l'ananas. Réservez le plumet. Posez l'ananas à la verticale sur son assise et pelez-le à l'aide d'un couteau à lame longue et fine, en suivant le contour de haut en bas. Ôtez les yeux si nécessaire. Coupez l'ananas en quatre tranches égales puis enlevez le cœur à l'aide d'un emporte-pièce.

• Faites chauffer le beurre dans une poêle. Faites dorer les tranches 2 à 3 minutes environ de chaque côté pour obtenir une belle coloration. Versez ensuite le rhum puis le jus d'orange. Ajoutez la badiane et la vanille fendue et grattée. Laissez cuire à couvert et à petits bouillons pendant 5 minutes. Réservez les tranches sur une grille pour bien les égoutter. Donnez un tour de moulin à poivre.

• Étalez l'argile à l'aide d'un rouleau à pâtisserie en un carré de 3 mm d'épaisseur.

• Épongez les tranches d'ananas sur du papier absorbant.

• Reconstituez l'ananas au centre du carré d'argile en montant les tranches les unes sur les autres. Placez au centre la banane épluchée.

• Repliez l'argile sur l'ananas de façon à l'enfermer et avoir la fermeture en haut. Plantez le plumet au sommet pour marquer son emplacement. Puis réservez-le.

• Placez l'ananas en croûte d'argile sur une plaque de cuisson recouverte de papier sulfurisé et à l'aide d'une poche à douille unie, pratiquez de petites entailles sur le pourtour pour représenter la peau de l'ananas. Faites cuire au four 30 minutes.

• Laissez reposer 10 minutes à température ambiante. Placez le plumet au sommet avant de servir en cassant la croûte avec un couteau. >>>

LE PETIT PLUS

Accompagnez ce dessert d'un coulis de fruits rouges et d'un sorbet mojito, par exemple.

LE PETIT CONSEIL

On peut également cuire un poisson entier dans une croûte d'argile.

GUY MARTIN
atelier

Tranchez les deux extrémités de l'ananas. Posez-le à la verticale. Pelez-le à l'aide d'un couteau à longue lame en suivant ses contours.

Étalez l'argile sur une feuille de cuisson au rouleau à pâtisserie.

Posez l'ananas
au milieu
de la pâte
puis rabattez
celle-ci pour
envelopper
le fruit.

Replacez
le plumet
puis striez
la pâte sans
la percer pour
imiter la peau
de l'ananas.

FRIRE

L'ESSENTIEL POUR RÉUSSIR LA FRITURE

›› LES USTENSILES
Une friteuse, du papier absorbant, une écumoire.

• L'intérêt gustatif
Les aliments sont plongés dans un bain d'huile portée à très haute température (entre 140 °C et 190 °C en fonction de l'huile choisie). C'est une cuisson extrêmement rapide (quelques minutes) qui permet d'obtenir une texture croustillante.

• L'intérêt nutritionnel
La température très élevée détruit les vitamines. La cuisson dans l'huile augmente considérablement la teneur lipidique de l'aliment. La matière grasse cuite est aussi très indigeste. C'est donc un grand plaisir gustatif mais dont il faut profiter vraiment occasionnellement.

›› COMMENT S'Y PRENDRE ?
Il faut utiliser une huile stable qui supporte une température élevée : olive, arachide, pépins de raisin ou coco. Elle doit être chaude mais ne doit pas fumer. Pour vérifier la température, si vous n'utilisez pas une friteuse à thermostat, jetez un petit morceau de pain dans l'huile : s'il est doré en moins d'une trentaine de secondes, l'huile est à la bonne température.
Procédez par petites quantités. L'immersion d'une trop grande quantité d'aliments refroidit le bain de friture et empêche de bien les saisir. De même, trempez progressivement les aliments pour éviter la chute en température.
Entre deux fournées, laissez l'huile reprendre quelques degrés.
Lorsqu'ils sont dorés, sortez les aliments frits à l'aide du panier de la friteuse ou d'une écumoire et déposez-les sur du papier absorbant. Salez ou sucrez. Dégustez aussitôt car la texture croustillante est éphémère et ne supporte pas l'humidité, celle résiduelle de l'aliment frit ou de l'air.
Enfin, ne réutilisez pas un bain de friture qui a servi pour du poisson pour un autre aliment.

›› POUR QUELS PRODUITS ? POUR QUELS PLATS ?
Légumes, fruits, viandes, poissons tels quels ou enrobés d'une pâte à frire. Beignets, frites et chips de légume.

• À éviter
Les aliments trop riches en eau.
Les fruits non enrobés de pâte à beignet.

• Pour les frites et les chips de légume

La présence d'eau augmente la dégradation de l'huile de friture. Il faut donc essuyer soigneusement les légumes.

Les frites surgelées se plongent sans décongélation dans la friteuse, mais par petites quantités.

• Pour les beignets

Dans de la pâte à beignet, enlevez soigneusement (c'est-à-dire cornez) l'excès de pâte qui déborde.

Farinez au moment de la friture et tapotez-les pour enlever l'excédent de farine (par exemple pour la friture d'éperlans, les oignons frits...).

TABLEAU DES TEMPÉRATURES	
140 °C	Aliments très fragiles
150 °C/160 °C	Légumes, poissons
160 °C/170 °C	Poulet, beignets
170 °C/180 °C	Frites

LE PETIT PLUS SANTÉ
Le bain de friture doit être filtré après chaque utilisation pour éliminer les particules brûlées. Il peut être utilisé 3 fois au maximum, à condition que l'huile n'ait pas été portée à une trop forte température, qui la dégrade et génère des benzopyrènes, molécules toxiques et cancérigènes. Toutes les huiles ne sont pas faites pour la friture. Il est préférable d'utiliser de l'huile d'arachide, de tournesol ou des mélanges d'huiles spéciales friture vendues dans le commerce. Mais il ne faut pas dépasser 180 °C.

LE PETIT PLUS ENVIRONNEMENT
Ne jetez pas les huiles usagées dans l'évier. Transvasez-les dans leur emballage d'origine ou dans une bouteille en plastique et apportez-les à une déchetterie.

BRICKS DE FROMAGE DE CHÈVRE, MANIGUETTE ET MIEL DE LAVANDE

— 20 MIN —

CUISSON : 3 À 4 MIN

4 PERSONNES

8 feuilles de brick

300 g de fromage
de chèvre mi-sec

120 g de fenouil

1 cuillerée à soupe
de miel de lavande

1 cuillerée à café de
maniguette concassée

1 blanc d'œuf

• Divisez le fromage en 8 parts égales. Taillez le fenouil en dés de 5 mm. Faites chauffer le miel pour le rendre liquide.

• Préchauffez la friteuse à 200 °C.

• Posez les feuilles de brick à plat. Répartissez les dés de fenouil et le fromage de chèvre au centre. Nappez d'un filet de miel et parsemez de maniguette.

• Repliez les bords de la pâte vers le centre pour former un carré. Collez les bords avec le blanc d'œuf.

• Plongez les bricks dans la friteuse pendant 3 à 4 minutes pour leur donner une belle coloration.

• Égouttez sur du papier absorbant et servez aussitôt.

LE PETIT PLUS

Vous pouvez réaliser ces briks avec d'autres fromages comme de l'ossau-iraty et de la confiture de cerise noire à la place du miel.

LE PETIT CONSEIL

La maniguette est une épice africaine qui s'apparente au poivre. On la connaît aussi sous le nom de poivre de Guinée ou graine de paradis. À défaut, remplacez-la par du poivre noir ou du poivre du Sichuan.

▶▶▶
USTENSILES

un couteau

une balance

une friteuse

SOLES PANÉES AU BEURRE MAÎTRE D'HÔTEL

15 MIN

CUISSON : 5 À 7 MIN

4 PERSONNES

4 filets de sole

2 citrons

Quelques brins de persil

2 œufs

80 g de farine

200 g de chapelure blanche

Huile de friture

Sel, poivre du moulin

Beurre maître d'hôtel

80 g de beurre mou

1/2 jus de citron

20 g de persil haché

Sel, poivre du moulin

• Préchauffez l'huile de la friteuse à 180 °C.

• Malaxez le beurre pour lui donner la texture d'une pommade. Ajoutez le jus de citron, le persil haché. Salez, poivrez. Réservez à température ambiante.

• Historiez les citrons : coupez légèrement les deux extrémités des citrons, afin de leur donner une assise. Maintenez le citron bien à plat, tenez la lame d'un couteau d'office à mi-hauteur entre le pousse et l'index. Traversez le citron jusqu'à sa moitié, formez une dentelure sur toute la circonférence. Déboîtez les deux demi-citrons.

• Cassez les œufs dans un plat creux. Salez, poivrez. Battez-les délicatement avec une fourchette.

• Versez la farine et la chapelure dans deux autres plats.

• Passez successivement les filets de sole dans la farine, les œufs battus puis dans la chapelure.

• Plongez les filets dans l'huile chaude et laissez-les frire 5 à 7 minutes.

• Épongez-les sur du papier absorbant. Servez sans attendre avec les citrons et le beurre maître d'hôtel.

LE PETIT PLUS

Vous pouvez accompagner les soles panées de pommes de terre vapeur ou de frites façon « fish and chips ».

LE PETIT CONSEIL

Vous pouvez remplacer le persil dans le beurre par de la sauge, une concassée de tomate ou une sauce rémoulade. D'autres filets de poisson tels que le merlan ou la limande se prêtent bien à cette recette.

 USTENSILES

un couteau

une friteuse

BOULES DE LAIT FRIT À L'INFUSION D'ÉPICES

30 MIN

CUISSON : 7 MIN

4 PERSONNES

140 g de lait en poudre

6 cuillerées à soupe de farine

50 cl de lait

2 pincées de levure chimique

2 cuillerées à café
de semoule fine

2 cuillerées à soupe
de beurre fondu

250 g de sucre

2 capsules
de cardamome verte

1/2 gousse de vanille

1 étoile de badiane

5 pistils de safran

Huile de friture

• Versez dans une casserole le sucre et 70 cl d'eau. Portez à ébullition. Ajoutez les épices et laissez cuire à petits bouillons pendant 5 minutes. Laissez refroidir à température ambiante.

• Mélangez dans un saladier le lait en poudre, la farine, la levure chimique, la semoule et le beurre fondu. Incorporez le lait et mélangez jusqu'à l'obtention d'une pâte homogène. Divisez-la en 20 parts égales de 15 g environ, puis roulez-les en boules.

• Préchauffez la friteuse à 150 °C.

• Plongez les boules 5 par 5 dans la friteuse, le temps qu'elles prennent une couleur dorée, 2 minutes environ. Égouttez-les puis épongez-les sur du papier absorbant.

• Filtrez le sirop. Reversez-le dans la casserole avec les boules de lait. Portez à ébullition puis retirez du feu. Servez chaud ou froid.

LE PETIT PLUS

Vous pouvez aussi préparer un sirop parfumé à la rose.

USTENSILES

une balance

une friteuse

une casserole

À L'EAU

L'ESSENTIEL POUR RÉUSSIR LA CUISSON À L'EAU FROIDE

⟩⟩ LES USTENSILES

Une marmite, un faitout, une cocotte ou une casserole. Des couvercles, une écumoire et une passoire.

• L'intérêt gustatif

C'est une cuisson lente, sans choc thermique, qui favorise les échanges de saveur entre les différents aliments. Dans un pot-au-feu, la saveur de la viande enrichira les légumes, et vice-versa.

C'est le mode de cuisson à adopter pour les légumes secs, afin que leur peau ne durcisse pas, et pour les aliments fragiles qui pourraient se défaire à la cuisson.

• L'intérêt nutritionnel

Le bouillon de cuisson (de pot-au-feu, de potée...), riche en sels minéraux et en vitamines hydrosolubles, peut être récupéré pour cuire des pâtes ou faire des soupes. On peut le dégraisser mais il faut le refroidir au préalable pour ôter la couche de graisse qui se formera à la surface.

⟩⟩ COMMENT S'Y PRENDRE ?

Utilisez une grande casserole ou un grand faitout pour que les aliments soient à leur aise. Et si possible avec une eau pure (eau filtrée). Salez au gros sel ; en général il faut compter 8 à 10 g de sel par litre.

⟩⟩ POUR QUELS PRODUITS ? POUR QUELS PLATS ?

Les pommes de terre, les légumes secs, les œufs durs, le pot-au-feu, une poule au pot, une blanquette de veau, les soupes, les fonds, les fumets, les légumes-racines comme le céleri.

• À éviter

Les légumes verts qui perdraient leur texture et leurs nutriments, les pâtes, le riz...

• Pour les légumes secs

Faites trempez les légumes secs, exceptées les lentilles, pendant 12 heures. Égouttez-les et versez-les dans une casserole. Ajoutez l'eau dans une proportion de 3 volumes d'eau pour 1 volume de légumes secs. Portez lentement à ébullition et évitez la cuisson à gros bouillons. Ne salez qu'aux deux tiers de la cuisson, pour éviter que la peau ne durcisse.

Surveillez attentivement la fin de la cuisson : ils doivent être tendres mais ne pas se défaire, suivez les indications de cuisson sur chaque paquet.

Égouttez-les et, selon la recette, liez-les avec du beurre, de la crème, du jus de viande ou de la tomate.

• Pour les pommes de terre

Épluchez et lavez les pommes de terre. Coupez-les en morceaux de même taille pour une cuisson homogène.

Placez-les dans une casserole et recouvrez-les entièrement d'eau froide. Salez au gros sel. Portez à ébullition, écumez et cuisez à petits bouillons pendant 18 à 20 minutes.

Vérifiez la cuisson des pommes de terre en les piquant avec la pointe d'un couteau : il ne doit y avoir aucune résistance.

Arrêtez la cuisson en ajoutant quelques glaçons et de l'eau froide.

Égouttez les pommes de terre avec une écumoire en les manipulant délicatement. Dressez-les dans un légumier. Vous pouvez les savourer nature ou persillées, roulées dans du beurre et du persil haché, du cerfeuil ou encore de la menthe.

Les pommes de terre doivent être cuites juste au moment. Ce n'est pas idéal de les réchauffer mais dans ce cas, laissez les pommes de terre 1 à 2 minutes dans leur eau de cuisson avant de les servir. Au-delà, elles vont se gorger d'eau et éclater.

En général, on compte 1 kg de pommes de terre pour 4 personnes.

• Pour les pot-au-feu, la poule au pot et les potées

Recouvrez la viande d'eau. Portez le plus lentement possible à ébullition. Maintenez une petite ébullition et écumez le bouillon plusieurs fois. Salez lorsque le bouillon est clair.

Toutes les racines comme les panais, les racines de persil, les carottes… Utilisez la même méthode de cuisson que pour les pommes de terre.

 LE PETIT PLUS ENVIRONNEMENT
Mettez un couvercle pour porter à ébullition, vous y gagnerez en rapidité pour la montée en température et donc en consommation d'énergie.

POT-AU-FEU

1 H 15

**CUISSON :
3 H 30 À 4 H**

4 PERSONNES

200 g de jumeau

200 g de paleron

400 g de macreuse

400 g de plat de côte

400 g de queue de bœuf
en tronçons

4 tronçons d'os à moelle

1 cuillerée à soupe
de vinaigre d'alcool

Gros sel et fleur de sel

**Pour la garniture
aromatique**

100 g de carottes

100 g d'oignons

100 g de poireaux

50 g de céleri-branche

1 bouquet garni

1 clou de girofle

**Pour la garniture
d'accompagnement**

400 g de carottes

400 g de navets

200 g de panais

200 g de blancs
de poireau

200 g de céleri-rave

500 g de pommes
de terre

• Placez les morceaux de viande dans un faitout. Couvrez d'eau froide à hauteur. Portez à ébullition. Écumez soigneusement. Égouttez puis rafraîchissez la viande sous l'eau froide.

• Placez les os à moelle dans un bol. Couvrez d'eau froide, ajoutez le vinaigre, couvrez d'un film alimentaire puis réservez au réfrigérateur.

• Pour la garniture aromatique, épluchez et coupez en morceaux tous les légumes ; piquez un demi-oignon d'un clou de girofle. Faites colorer la garniture dans une poêle antiadhésive, à feu vif, avec un peu de matière grasse pendant 5 minutes.

• Portez 3 litres d'eau à ébullition dans un faitout. Salez au gros sel. Plongez les morceaux de viande. Ajoutez la garniture aromatique et le bouquet garni. Laissez cuire à petits bouillons 3 h 30 à 4 heures tout en prenant soin d'écumer et de dégraisser fréquemment. Le bouillon doit rester clair.

• Épluchez tous les légumes d'accompagnement et taillez-les en tronçons ou en cubes de même taille.

• Faites cuire les pommes de terre à l'eau salée pendant 15 à 20 minutes. Vérifiez la cuisson avec la pointe d'un couteau.

• Une demi-heure avant la fin de cuisson des viandes, prélevez du bouillon pour la cuisson des légumes. Versez-le dans une casserole et faites-y cuire les légumes séparément pendant 10 minutes environ. Vérifiez la cuisson et maintenez au chaud.

• Prélevez de nouveau du bouillon 10 minutes avant la fin de cuisson des viandes. Versez-le dans une casserole et faites-y pochez les os à moelle pendant 5 minutes. Réservez au chaud.

• Égouttez les viandes. Coupez-les en tranches épaisses. Placez-les dans un plat puis entourez-les des légumes égouttés. Égouttez la moelle puis posez-la sur la viande. Arrosez le tout d'un peu de bouillon. Parsemez de fleur de sel. Servez. >>>

USTENSILES

un couteau

une casserole

une balance

du film alimentaire

une poêle

POT-AU-FEU

LE PETIT PLUS

Pour apporter une petite pointe d'acidité au plat, proposez des cornichons et de la moutarde. Vous pouvez mélanger un peu de bouillon avec du raifort râpé ou du wasabi et le servir à part dans une saucière.

LE PETIT CONSEIL

Le pot-au-feu doit cuire lentement à petits bouillons pour être tendre et savoureux. Portez à ébullition et maintenez la cuisson à feu très doux. Préparez une plus grande quantité pour le réchauffer le lendemain. Il gagnera en saveur. Récupérez le bouillon pour cuire un risotto ou des pâtes.

LE PAS À PAS

Placez la viande dans un faitout, puis recouvrez-la d'eau froide.

Portez lentement à ébullition. Une écume se forme à la surface.

Retirez cette première écume à l'aide d'une écumoire.

Écumez régulièrement tout au long de la cuisson pour obtenir un bouillon clair.

BLANQUETTE DE VEAU À L'ANCIENNE

CUISSON : 1 H

4 PERSONNES

700 g de collier de veau
sans os

100 g de carottes

100 g d'oignons

100 g de blancs
de poireau

50 g de céleri-branche

125 g de champignons
de Paris

125 g d'oignons grelots

50 g de beurre

10 g de crème fraîche
épaisse

1 jaune d'œuf

30 g de farine

1 clou de girofle

1 bouquet garni

1 l de fond blanc de veau

1 cuillerée à soupe
de jus de citron

1 pincée de sucre

Sel, poivre du moulin

• Coupez la viande en morceaux de 50 g environ et placez-les dans une grande casserole. Versez de l'eau froide à hauteur. Portez à ébullition et laissez cuire 5 minutes à petits bouillons. Écumez soigneusement puis égouttez et rafraîchissez sous l'eau froide les morceaux de viande.

• Rincez la casserole et replacez la viande.

• Épluchez les légumes, exceptés les champignons et les oignons grelots. Coupez-les en gros tronçons, coupez l'oignon en quatre et piquez un des quart du clou de girofle.

• Versez le fond blanc sur la viande. Il doit la recouvrir de 2 à 3 cm.

• Salez et portez à ébullition. Écumez soigneusement puis ajoutez les légumes et le bouquet garni. Laissez cuire à petits bouillons pendant 40 à 50 minutes.

• Lavez et coupez les champignons de Paris en quatre. Placez-les dans une casserole avec 10 g de beurre, 3 à 4 cuillerées à soupe d'eau, le jus de citron et une pincée de sel. Faites-les cuire à couvert pendant 3 à 4 minutes. Réservez-les dans une passoire et conservez le jus de cuisson.

• Épluchez les oignons grelots. Placez-les dans une casserole sur une seule épaisseur. Ajoutez le sucre, 10 g de beurre et une pincée de sel. Versez de l'eau froide à hauteur. Portez à ébullition puis couvrez d'une feuille de papier sulfurisé. Faites cuire à feu doux jusqu'à évaporation de l'eau de cuisson pendant 20 minutes environ. Réservez.

• Préparez le roux en faisant fondre le reste de beurre dans une casserole, sans coloration. Ajoutez la farine. Mélangez avec un fouet en remuant constamment. Laissez cuire à feu doux pendant 3 à 4 minutes, jusqu'à ce que le roux mousse et blanchisse légèrement. Laissez refroidir.

• À la fin de la cuisson de la viande, déposez les morceaux dans une casserole. Couvrez pour maintenir au chaud.

• Filtrez le jus de cuisson au chinois étamine. Versez 50 cl du jus bouillant sur le roux ainsi que le jus de cuisson des champignons. Remuez à l'aide d'un fouet jusqu'à la reprise de l'ébullition. Faites cuire à petits bouillons pendant 10 minutes.

• Mélangez dans un bol le jaune d'œuf et la crème puis ajoutez-les progressivement, hors du feu, au mélange précédent. Goûtez et rectifiez l'assaisonnement. Donnez une ébullition durant quelques secondes puis passez au chinois étamine sur la viande. Ajoutez les champignons et les oignons grelots. Mélangez et servez.

LE PETIT PLUS

Vous pouvez ajouter une gousse de vanille fendue en deux avec les légumes de la garniture aromatique. Au dernier moment, vous pouvez rajouter une pincée de curry, de safran, de ras al-hanout ou des dés de citron au sel. Et en saison, remplacez les champignons de Paris par des morilles ou des girolles.

LE PETIT CONSEIL

Une fois la sauce liée aux jaunes œufs, la blanquette ne doit pas bouillir, sinon les jaunes vont grainer. Si vous ne servez pas immédiatement, maintenez-la au chaud, au bain-marie. Accompagnez d'un riz blanc ou de pâtes fraîches. Si vous n'avez pas de fond de veau, vous pouvez le remplacer par de l'eau.

USTENSILES

un couteau

une casserole

une balance

une balance

un doseur

une chinois étaminé

un fouet

L'ESSENTIEL POUR RÉUSSIR LA CUISSON À L'EAU CHAUDE

Ce mode de cuisson est appelé pochage.

➤➤ LES USTENSILES

Une marmite, un faitout, une cocotte ou une casserole. Des couvercles, une écumoire et une passoire.

• L'intérêt gustatif

Les aliments sont saisis et conservent leur texture, leur couleur et leur saveur. La cuisson est rapide et permet un échange de saveurs si l'on ajoute des aromates ou des épices dans l'eau, ou s'il s'agit d'un fumet, du lait ou du jus.

• L'intérêt nutritionnel

La précipitation dans une eau bouillante salée permet de saisir l'aliment et crée une couche protectrice qui limite la fuite des nutriments avec un temps de cuisson réduit.

➤➤ POUR QUELS PRODUITS ? POUR QUELS PLATS ?

Les œufs à la coque ou mollets, les fruits pochés, les légumes verts, le riz, les pâtes, les crustacés, le poisson…

• À éviter

Les aliments très riches en eau qu'il vaut mieux cuire à la vapeur : endive, courgette…

• Pour les légumes

(haricots verts, petits pois, choux-fleurs, brocolis…)
Épluchez les légumes. Lavez-les soigneusement dans une première eau faite d'un mélange d'eau et de vinaigre d'alcool blanc à 2 %. Puis rincez-les dans une ou deux eaux claires. Ne versez pas les légumes avec l'eau dans une passoire, mais retirez-les à la main, ou avec une écumoire, pour que les impuretés restent au fond.
Faites bouillir une grande quantité d'eau salée (10 g de sel par litre d'eau). Ajoutez les légumes et maintenez l'ébullition.
Sondez la cuisson des légumes soit en les goûtant, soit en les piquant avec la pointe d'un couteau. Les légumes doivent être fermes sous la dent mais non croquants. Le temps de cuisson dépend de la grosseur et de la densité des légumes.
Rafraîchissez-les dans une eau glacée, en les retirant avec une écumoire. Une fois bien refroidis, égouttez-les. Réchauffez et accommodez selon votre envie.

Astuces

Pour éviter l'oxydation de certains légumes, comme le topinambour, les fonds d'artichaut, les salsifis, ajoutez quelques gouttes de jus de citron et 1 cuillerée d'huile dans l'eau de cuisson : l'huile formera ainsi un film, ce qui évitera le contact direct avec l'air. Vous pouvez également pour cuire ces légumes utiliser un « blanc ». Délayez 10 g de farine dans un peu d'eau froide, ajouter le jus d'un demi-citron. Versez ce mélange dans 1 litre d'eau bouillante, en le passant à travers un chinois tout en remuant. Salez et plongez les légumes à la reprise de l'ébullition. Cuire à petits bouillons pour que la farine n'attache pas au fond de la casserole.

Dans les deux cas, couvrez les légumes d'une feuille de papier sulfurisé pendant la cuisson, afin qu'ils ne soient pas en contact avec l'air.

• Pour les œufs (voir page 134 à 137)

• Pour les pâtes

Portez à ébullition une grande quantité d'eau salée(1 litre d'eau pour 100 g de pâtes ; 10 g de sel au litre) dans un grand récipient : les pâtes absorbent beaucoup d'eau au cours de la cuisson et doivent avoir assez d'espace pour gonfler et ne pas coller entre elles.

Plongez les pâtes dans l'eau bouillante et faites reprendre l'ébullition le plus rapidement possible ; remuez de temps en temps afin que les pâtes ne collent pas entre elles. Vérifiez la cuisson en les goûtant : elles doivent être *al dente*, c'est-à-dire rester légèrement fermes sous la dent.

Ne rincez pas les pâtes si elles sont consommées chaudes. Égouttez-les et apprêtez-les avec la sauce ou la garniture de votre choix.

• Pour le riz

Cuisson dite « créole ».

Portez une grande quantité d'eau à ébullition (6 volumes d'eau pour 1 volume de riz) et salez à 12 g au litre.

Versez le riz en pluie dans l'eau bouillante. Remuez jusqu'à la reprise de l'ébullition. Faites cuire sans couvrir 11 à 15 minutes selon la qualité et l'origine du riz. Vérifiez la cuisson en le goûtant.

Pour une utilisation immédiate, égouttez-le et apprêtez-le selon vos goûts. Pour une utilisation ultérieure, égouttez-le et rincez-le sous l'eau froide.

•••

• • •

• Pour les crustacés

Ils sont cuits généralement dans une nage, composée de 2 litres d'eau, 1 litre de vin blanc, 500 g de carottes, 500 g d'oignons, 1 bouquet garni, 30 g de gros sel et 10 grains de poivre.

Portez le tout à ébullition et faites cuire 15 minutes à feu doux.

Plongez les crustacés dans la nage bouillante et faites reprendre l'ébullition le plus rapidement possible.

Temps de cuisson

Écrevisses : 4 à 6 minutes.

Homard et langouste de 500/600 g : 10 minutes.

Tourteau de 1 kg : 15 à 20 minutes.

Langoustine : 1 minute.

Égouttez et laissez refroidir à température ambiante avant de réserver au frais.

• Le blanchiment

Il permet, en plongeant les aliments quelques secondes ou quelques minutes dans de l'eau bouillante, de les préparer à la congélation ou à la stérilisation en éliminant les enzymes, une meilleure digestibilité (chou), un épluchage plus facile (tomate, amande), un dessalage rapide (lard fumé) ou de retirer l'excédent d'amidon (riz).

LE PETIT PLUS PRATIQUE

On ne couvre pas une casserole pour cuire les légumes à l'eau. Il est possible de mettre le couvercle juste pour redonner l'ébullition au plus vite, mais il faut le retirer pour la cuisson. Ne couvrez pas le chou-fleur ou le chou. Les composés volatils qui peuvent leur donner un goût prononcé seront emportés par la vapeur d'eau.

LE PETIT PLUS ENVIRONNEMENT

Salez seulement lorsque l'eau bout, car le sel élève la température de l'ébullition de quelques degrés. Vous gagnez en temps et en énergie.

COLIN À L'ANGLAISE, SAUCE AU CHEDDAR FUMÉ

15 MIN

CUISSON : 6 À 8 MIN

4 PERSONNES

4 darnes de colin de 200 g

1 citron

1 brin de thym

1 feuille de laurier

1 jus de 1/2 citron

15 g de gros sel

Pour la sauce au cheddar

1 cuillerée à soupe
de moutarde à l'ancienne

1 jaune d'œuf

12 cl d'huile
de pépins de raisin

1 cuillerée à soupe
de cognac

1 cuillerée à soupe de
Worcestershire sauce

60 g de cheddar fumé râpé

Sel, poivre du moulin

• Mélangez le jaune d'œuf et la moutarde dans un bol. Salez, poivrez. Ajoutez l'huile petit à petit en fouettant pour monter une mayonnaise. Ajoutez ensuite le cognac, la Worcestershire sauce et le cheddar. Rectifiez l'assaisonnement. Réservez au frais.

• Portez à ébullition 1 litre d'eau dans une casserole assez large pour poser les darnes de poisson côte à côte. Ajoutez le thym, le laurier, le jus de citron et une grosse pincée de gros sel.

• Posez délicatement les darnes dans l'eau bouillante. Éteignez le feu et couvrez. Laissez cuire le poisson pendant 6 à 8 minutes.

• Égouttez les darnes à l'aide d'une écumoire. Épongez-les sur du papier absorbant. Servez aussitôt avec des quartiers de citron et la sauce à part, en saucière.

LE PETIT PLUS

Accompagnez le colin de pommes de terre ou de légumes vapeur. Vous pouvez réaliser cette recette avec un autre poisson blanc comme un dos de cabillaud, du lieu ou un dos de merlu.

USTENSILES

une casserole

un presse-agrume

CUISSES DE LAPIN AUX PRUNEAUX, TOMATES SÉCHÉES ET ROMARIN

15 MIN

CUISSON : 1 H 30

4 PERSONNES

4 cuisses de lapin

250 g de pruneaux dénoyautés

Le jus de 1 citron

1 brin de romarin

1 gousse d'ail

4 quartiers de tomate séchée

Sel, poivre du moulin

- Préchauffez le four à 180 °C (th. 6).

- Mixez le plus finement possible 200 g de pruneaux avec 1 litre d'eau. Versez le jus dans une cocotte. Ajoutez le jus de citron, le romarin et l'ail. Salez, poivrez. Portez à ébullition.

- Ajoutez les cuisses de lapin. Couvrez et enfournez pour 1 h 30.

- Sortez les cuisses de lapin avec une écumoire. Passez le jus de cuisson au chinois fin. Rectifiez l'assaisonnement. Rassemblez dans la cocotte le jus, les cuisses de lapin, le reste des pruneaux et les tomates séchées coupées en deux. Donnez une ébullition. Servez.

LE PETIT PLUS

Accompagnez de tagliatelles fraîches.

Vous pouvez ajouter au dernier moment 1 ou 2 filets d'anchois hachés dans la sauce.

LE PETIT CONSEIL

Veillez à ce que le jus recouvre bien le lapin et n'ouvrez pas la cocotte en cours de cuisson.

USTENSILES

une cocotte

un couteau

un mixer

un chinois

POIRES POCHÉES AU SAFRAN ET GELÉE DE CARDAMOME

15 MIN

CUISSON : 20 MIN
RÉFRIGÉRATION : 2 H

4 PERSONNES

4 poires conférence

250 g de sucre

5 étoiles de badiane

1 gousse de vanille

5 pistils de safran

Pour la gelée

150 g de café
pas trop corsé

50 g de sucre

2 g d'agar-agar

2 capsules
de cardamome verte

• Épluchez les poires. Portez 1 litre d'eau à ébullition avec le sucre et les épices. Plongez les poires dans le sirop. Couvrez avec une feuille de papier sulfurisé et laissez cuire à petits bouillons pendant 20 minutes.

• Retirez du feu et laissez refroidir dans le sirop. Réservez-les ensuite au réfrigérateur toujours dans leur sirop.

• Écrasez les capsules de cardamome. Placez-les dans le café chaud. Couvrez et laissez infuser 5 minutes. Filtrez.

• Portez à ébullition le café parfumé. Ajoutez le sucre et l'agar-agar. Laissez cuire 1 minute en mélangeant. Versez ensuite la préparation dans une assiette creuse. Réservez au réfrigérateur pendant 2 heures afin que la gelée prenne.

• Égouttez les poires. Coupez-les en deux dans leur longueur. Enlevez les pépins. Émincez chaque demi-poire et posez-les en éventail sur 4 assiettes. Démoulez la gelée et taillez-la en dés de 5 mm. Répartissez-les sur les poires. Arrosez d'un peu de sirop et servez.

LE PETIT PLUS

Ajoutez de l'eau fraîche au jus de cuisson des poires et vous obtiendrez une délicieuse boisson rafraîchissante.

LE PETIT CONSEIL

Préparez les poires la veille, pour qu'elles se gorgent du parfum des épices.

USTENSILES

un couteau   une casserole   du papier sulfurisé

RIZ AU LAIT À LA MANGUE AU PARFUM DE QUATRE-ÉPICES

15 MIN

CUISSON : 35 MIN

4 PERSONNES

200 g de riz rond

200 g de chair de mangue

90 cl de lait entier

50 g de beurre

2 jaunes d'œufs

50 g de sucre roux

1 cuillerée à café rase
de quatre-épices

- Versez le lait dans une cocotte en fonte. Portez à ébullition avec le sucre et le quatre-épices.

- Portez à ébullition 1 litre d'eau dans une casserole.

- Rincez le riz à l'eau froide pour éliminer un maximum d'amidon. Égouttez-le puis versez-le dans l'eau en ébullition. Faites cuire 2 minutes. Égouttez-le puis versez-le dans le lait bouillant.

- Baissez le feu puis laissez cuire à petits bouillons pendant 35 minutes. Remuez 2 à 3 fois en cours de cuisson. Le riz est cuit lorsqu'il a absorbé tout le lait.

- Taillez la chair de la mangue en dés de 5 mm.

- Ajoutez dans le riz cuit le beurre puis les jaunes d'œufs un par un et enfin les dés de mangue. Mélangez bien. Servez tiède ou froid.

LE PETIT PLUS

Vous pouvez remplacer le quatre-épices par les épices de votre choix. Du ras al-hanout par exemple, et au dernier moment une pincée d'aneth ciselé.

LE PETIT CONSEIL

Pour une texture aérienne, montez les blancs en neige puis incorporez-les au riz. Réservez au frais.

▶▶▶ USTENSILES

une cocotte

un doseur

une casserole

L'ESSENTIEL POUR LA CUISSON DES ŒUFS

▶▶▶ Pour les œufs au plat

• Faites chauffer votre poêle sur feu vif.

• Déposez une noisette de beurre, baissez le feu salez et poivrez le fond de la poêle.

• Cassez les œufs. Faites-les cuire afin que le blanc cuise de manière

▶▶▶ Pour les œufs durs

- Plongez délicatement les œufs à l'aide d'une écumoire dans une eau bouillante salée. Ils doivent être entièrement immergés.

- Faites-les cuire 9 à 11 minutes selon leur calibre, à petits bouillons pour éviter qu'ils ne se cognent et ne se fêlent.

- Rafraîchissez-les dans une eau glacée pour stopper la cuisson.

L'ESSENTIEL POUR LA CUISSON DES ŒUFS

▶▶▶ **Pour les œufs à la coque**

• Plongez délicatement les œufs à l'aide d'une écumoire dans une eau bouillante salée. Ils doivent être entièrement immergés.

• Faites-les cuire 2 minutes 30 à 3 minutes selon leur calibre, à petits bouillons pour éviter qu'ils ne se cognent et ne se fêlent.

▶▶▶ Pour les œufs mollets cuisson avec la coquille

• Plongez délicatement les œufs à l'aide d'une écumoire dans une eau bouillante salée. Ils doivent être entièrement immergés.

• Faites-les cuire 5 à 6 minutes selon leur calibre, à petits bouillons pour éviter qu'ils ne se cognent et ne se fêlent.

• Rafraîchissez-les dans une eau glacée pour couper la cuisson.

TABLES DES RECETTES

TABLE DES RECETTES

INDEX